DIE ENE, GOUDEN ZOMER

Olga van der Meer

Die ene,
gouden zomer

Westfriesland

www.kok.nl

Eerste druk in deze uitvoering 2008

NUR 344
ISBN 978 90 205 2855 8

Copyright © 2008 by 'Westfriesland', Hoorn/Kampen
Omslagillustratie Jack Staller
Omslagontwerp Van Soelen Communicatie

„Dus dit is het heiligdom, de plek waar het gebeurt." Pamela Franken, verslaggeefster van het blad 'Iris', een alom bekend en toonaangevend tijdschrift voor jonge vrouwen, keek aandachtig om zich heen in de ruime, frisse keuken.

„Mijn plek, ja," knikte Arnoud Verschuur trots. „Hier breng ik het grootste gedeelte van mijn dagen door. Ik maak alles zelf, samen met mijn assistent Tijmen."

„Is dat misschien het geheim van jullie succes?" vroeg Pamela zich hardop af terwijl ze een paar aantekeningen maakte in het notitieblok dat ze bij zich droeg. „De persoonlijke touch? Geen fabrieksspul, maar alles vers en eigenhandig bereid?"

„Dat maakt natuurlijk een enorm verschil ten opzichte van andere bakkerijen en lunchrooms, maar ik denk zelf dat het vooral zo goed loopt omdat wij er met hart en ziel aan werken," zei Connie Verschuur peinzend. Ze keek naar haar broer en Arnoud knikte haar bemoedigend toe. Een vluchtig glimlachje trok over haar gezicht. Arnoud wist hoe ze tegen dit interview op had gezien, zoals hij alles van haar wist. Broer en zus hadden een zeer hechte band, die zes jaar geleden begonnen was toen hun ouders om het leven waren gekomen bij een vliegtuigongeluk. Het was de eerste keer dat ze zonder hun kinderen op vakantie gingen. Vroeger, in hun jeugd, vochten ze altijd als kat en hond, tot wanhoop van hun moeder.

„Jullie zijn familie, ooit zullen jullie elkaar hard nodig hebben," zei ze dan altijd. Wie had ooit kunnen vermoeden dat haar woorden zo profetisch bleken te zijn? Sinds het fatale ongeluk hadden Connie en Arnoud nooit meer een onvertogen woord tegen elkaar gezegd. Sterker nog, ze hadden samen een flat betrokken omdat de herinneringen die in hun ouderlijk huis lagen het onmogelijk maakten om het verdriet te verwerken en een jaar later waren ze samen deze bakkerij annex lunchroom begonnen. Hun samenwerking bestond nu vijf jaar en de zaak liep uitstekend. Mede daardoor waren ze door het blad 'Iris' uitgekozen voor een uitgebreid interview in een reportage over de winkelstraat waarin hun bedrijfspand was gevestigd. Drie winkels uit deze straat werden er uitgelicht, allemaal zaken waar een verhaal achter stak.

„Jullie zijn de zaak dus begonnen nadat jullie ouders om het leven waren gekomen?" vroeg Pamela nadat ze neer waren gestreken aan een tafeltje in een hoek van de zaak. Het was op dit tijdstip nog rustig en de parttimeserveersters Kelly en Mariska konden het met gemak alleen af, zodat Arnoud en Connie zich even op het interview konden richten. „Waren jullie dit ook al van plan toen jullie ouders nog leefden?"

Weer wisselden Arnoud en Connie even een snelle blik met elkaar, iets wat Pamela niet ontging. Dat gebeurde bijna iedere keer als ze een vraag stelde en het kenmerkte de sterke band die deze broer en zus hadden. Snel maakte ze er een aantekening van. Dit soort kleine details gebruikte ze altijd graag in haar reportages, vaak gebruikte ze het zelfs als kapstok om een verhaal aan op te hangen.

„Als iemand ons dit voorspeld had voor onze ouders verongelukten, hadden we die persoon hartelijk uitgelachen," antwoordde Connie met een geamuseerde klank in haar stem. „Vroeger waren Arnoud en ik als water en vuur. We konden totaal niet met elkaar overweg en hadden ruzie over alles. Het zou beslist geen succes zijn geworden als we toen samen iets waren begonnen."

„Dat is dus veranderd na het ongeluk," constateerde Pamela.

„We waren ineens op elkaar aangewezen," verklaarde Arnoud kalm. „Je kunt je waarschijnlijk voorstellen wat een afschuwelijke tijd dat was, dus we hadden elkaar hard nodig. Er was verder niemand anders meer."

„Jullie wonen zelfs samen." Pamela had zich grondig voorbereid op dit gesprek, dat was duidelijk.

„Ook dat klopt. We waren achttien en twintig jaar in die tijd. In principe oud genoeg om op eigen benen te staan, maar ons gezin werd zo abrupt afgebroken dat we allebei niet alleen wilden zijn. Bovendien konden we ons financieel allebei niet zoveel veroorloven, samen konden we echter een behoorlijke flat betalen. Toen we het bedrijf startten was het heel handig dat we in één huis woonden en het is eigenlijk als vanzelf zo gebleven. Er is nog geen reden geweest om iets aan deze situatie te veranderen," vertelde Arnoud onbevangen.

„Hoe zien jullie de toekomst voor je?" De felblauwe ogen van Pamela keken van Connie naar Arnoud. „Als één van jullie een relatie krijgt bijvoorbeeld? Zal dat niet ten koste gaan van jullie band of van de werksfeer?"

„Daar kan ik me weinig bij voorstellen," antwoordde Connie daarop. „Zolang dat niet aan de orde is heeft het ook weinig nut om daarover te piekeren. Dat zien we dan wel weer."

„Maar er is wel ruimte voor een relatie? Jullie band is niet zo verstikkend dat er niemand tussen kan komen?" drong Pamela aan.

„Dat hoop ik toch niet," zei Arnoud droog. Hij zag dat Tijmen hem wenkte vanuit de keuken en stond op. „Sorry, ik moet weer aan het werk. Tot ziens, Pamela. Ik hoop dat je genoeg hebt aan de informatie die we je gegeven hebben. Succes met het schrijven van je artikel."

„Volgens mij werd me op een nette manier te verstaan gegeven dat ik op moet hoepelen," merkte Pamela op terwijl ze Arnouds lange gestalte nakeek.

„We hebben het nu eenmaal enorm druk," verontschuldigde Connie zich. „Arnoud zeker op dit moment. Tijmen is nog maar net in dienst en hij moet nog helemaal ingewerkt worden. Arnoud vindt het moeilijk om werk uit handen te geven, het liefst houdt hij zelf alles onder controle. Hij is bang dat het ten koste gaat van de kwaliteit van onze producten als hij er niet zelf met zijn neus bovenop staat."

„Jullie gebak smaakt in ieder geval heerlijk, wat dat betreft heeft hij eer van zijn werk," complimenteerde Pamela. „Heb jij nog tijd voor een paar korte vragen?"

„Natuurlijk," antwoordde Connie, hoewel ze er eigenlijk schoon genoeg van had. Het was echter niets voor haar om botweg nee te zeggen, dus gaf ze geduldig en uitgebreid antwoord op de vragen die Pamela nog op haar lijstje had staan. Een kwartier later was het interview dan toch afgerond en Connie stond opgelucht op.

„Morgen komt onze fotograaf," hielp Pamela haar nog herinneren voor ze de zaak verliet. „Om half tien. Ik schat dat hij een half uurtje nodig heeft, misschien iets langer. Bedankt voor jullie medewerking."

„Ik ben benieuwd naar het eindresultaat."

„Het zal vast een pakkend artikel worden. Jullie verhaal achter deze zaak is heel bijzonder, daar houden onze lezeressen van. Hou er maar rekening mee dat jullie het na het verschijnen van dit artikel een stuk drukker krijgen. Dit soort reportages werkt beter dan een reclamefilm."

„Als je er maar niet iets heel sentimenteels van maakt," zei Connie met een grimas.

Pamela trok haar wenkbrauwen hoog op. „Als je bekend bent met mijn werk weet je dat sentimentaliteit niet mijn stijl is," zei ze kalm.

Connie durfde niet te zeggen dat ze het tijdschrift 'Iris' nog nooit gelezen had, hooguit een keer doorgebladerd bij de kapper of in de wachtkamer van de tandarts. Ze was niet zo'n tijdschriftenliefhebster, bovendien had ze simpelweg te weinig tijd om te lezen. In de tijd die er wel voor overschoot, pakte ze liever een goed boek. Ze reageerde dan ook niet op Pamela's opmerking, lachte alleen even en schudde haar de hand ten afscheid.

Met een zucht van opluchting toog ze weer aan haar werk. Het bedienen van de klanten, het regelen van allerlei zaken achter de schermen en het doen van de administratie lagen haar veel beter dan het beantwoorden van de persoonlijke vragen die Pamela had gesteld. Connie hoopte maar dat het verhaal van hun overleden ouders een niet al te prominente rol zou spelen in het artikel, tenslotte ging het om hun zaak en niet om alles wat eraan vooraf was gegaan. Misschien hadden ze dat wat duidelijker moeten maken en niet zo uitgebreid in moeten gaan op de vragen betreffende hun voorgeschiedenis. Het interview had in ieder geval een hoop herinneringen teruggebracht in haar hoofd en daar had ze de rest van de dag behoorlijk last van. Ze had moeite om zich op haar werk te concentreren. In gedachten was ze zes jaar terug in de tijd, toen ze het gruwelijke bericht kregen dat het vliegtuig waar hun ouders in zaten verongelukt was. Ze was nog altijd blij dat het op de terugweg van hun vakantie gebeurd was en niet op de heenweg. Nu hadden ze tenminste een heerlijke vakantie achter de rug. Niettemin was het voor Arnoud en haar een ontzettend harde klap. In enkele seconden tijd was hun vertrouwde leventje aan gruzelementen geslagen.

Pijnlijk duidelijk wist ze nog dat ze een van hun bekende ruzies hadden op het moment dat de telefoon ging en iemand van de luchtvaartmaatschappij hun meedeelde dat er iets gebeurd was. Een ruzie die nergens om ging, zoals het meestal was geweest. Het was hun laatste ruzie geweest, sindsdien waren de zinloze verwijten over en weer niet meer voorgekomen. Het was een wrange winst uit het drama.

Hun ouders, vooral hun moeder, zouden trots op hen zijn als ze hen nu konden zien, dacht Connie weemoedig. Waarschijnlijk sloeg die gedachte nergens op, want als ze niet overleden waren, waren Arnoud en Connie wellicht nooit gestopt met ruziemaken. Die gedachte troostte haar echter altijd enigszins. Het ongeluk was niet helemaal voor niets geweest, er was ook veel goeds uit voortgekomen, al durfde ze die zin nooit hardop uit te spreken. Het zou lijken alsof ze blij was dat het gebeurd was en dat was allerminst het geval. Connie zou hun bedrijf en de hechte band die ze nu met Arnoud had zo opgeven als ze daarmee haar ouders terug kon krijgen, hoe tevreden ze ook was met het leven dat ze momenteel leidde.

Ze was blij toen de dag ten einde liep en ze af kon sluiten, iets wat niet vaak voorkwam. Connie genoot van haar werk en ging er iedere ochtend met plezier naartoe, maar vandaag lukte het haar maar niet om zich volledig te concentreren op haar bezigheden. Het interview bleef maar door haar hoofd heen spoken. Meestal ging ze op dagen als deze, als de herinneringen aan vroeger maar niet wilden wijken, naar het graf van hun ouders. Tijdens het verzorgen van de bloemen en het schoonmaken van de marmeren grafsteen praatte ze dan met hen alsof ze er nog waren, zodat ze haar hart kon luchten. Op dit moment voelde ze ook heel sterk de behoefte om even bij ze langs te gaan, zoals ze het zelf altijd noemde. Het waren meestal maar korte bezoekjes, toch had ze daarna dan het gevoel dat ze er weer tegen kon.

„Ga je mee naar de begraafplaats?" vroeg ze aan Arnoud nadat Tijmen, Kelly en Mariska naar huis waren gegaan.

„Hè, wat?" Verstrooid keek hij op van zijn map. Arnoud regelde zelf altijd alle inkopen voor hun bedrijf, een werkje dat hij nooit uit handen gaf. Per dag hield hij precies bij welke ingrediënten er gebruikt waren, zodat hij nooit te veel bestelde. Hij stond erop dat alles vers was.

„Ga je mee naar de begraafplaats?" herhaalde Connie. Ze leunde moe tegen de keukenmuur aan. Haar gezicht was bleek, iets wat Arnoud niet ontging. Hij legde meteen zijn map weg en richtte zijn aandacht op zijn jongere zus.

„Is het weer zover, heb je last van het verleden?" zei hij.

„Door dat interview, denk ik," gaf Connie toe. „Normaal gesproken kan ik het tijdens het werk goed van me afzetten, maar nu blijft het maar door mijn hoofd heen spoken. Ze ging ook zo diep in op dat ongeluk en alle gevolgen."

„Logisch, uiteindelijk zijn we daardoor deze zaak begonnen en daar gaat dat artikel tenslotte over," meende Arnoud realistisch.

„Ja, maar toch ..." Connie trok met haar schouders. „Ach, ik weet het ook niet. Ik wil er gewoon even langs."

„Dan doen we dat toch." Zonder zelfs nog maar naar zijn map te kijken trok Arnoud zijn jas aan. Wat Connie wilde ging bij hem voor alles. Vlak na het vliegtuigongeluk had hij zich opgeworpen als beschermer van zijn ontroostbare zusje en die rol had hij nooit meer afgelegd. Hij had zichzelf bezworen dat hij haar voortaan overal mee zou helpen en dat hij er altijd voor haar zou zijn en nu, zes jaar later, kweet hij zich nog steeds van die zelf opgelegde taak, zonder morren.

Het was stil op de begraafplaats. Zonder aarzelen sloegen Connie en Arnoud het pad in dat naar het graf van hun ouders leidde. Ze waren hier al zo vaak geweest dat ze de weg feilloos konden vinden. Met de armen om elkaar heen geslagen bleven ze voor het bewuste graf staan.

„Niet te geloven dat we ze al zes jaar niet gezien hebben, hè?" merkte Connie op. „Soms lijkt het al tientallen jaren geleden dat we nog een gelukkig gezin vormden, maar evenzovele keren voelt het alsof het gisteren was. Bizar."

„Veel mensen hebben die ervaring," wist Arnoud. „Het blijft ook altijd zo dubbel, het verdriet. Bij positieve dingen vind je het jammer dat ze dat niet meer meegemaakt hebben, bij negatieve zaken ben je juist blij dat het ze bespaard is gebleven. Zo word je voortdurend heen en weer geslingerd. Onze zaak bijvoorbeeld. Wat zouden ze daar trots op geweest zijn."

„Als ze waren blijven leven, hadden we de zaak nooit gehad," bracht Connie daartegen in. Dat was precies waar ze vanmiddag over gepiekerd had. Ze probeerde haar verwarde gedachten onder woorden te brengen. „We hebben veel goede dingen nu, die we niet gehad zouden hebben zonder dat ongeluk. Ik durf het haast niet te denken, laat staan uit te spreken, maar zo is het wel. Ik probeer me wel eens voor te stellen hoe onze levens verlopen zouden zijn als ma en pa niet samen op vakantie waren gegaan.

Waarschijnlijk hadden wij dan allebei in een andere stad gewoond en hadden we maar sporadisch contact gehad. Alleen met verjaardagen en Kerstmis, denk ik. Jij had dan ergens als banketbakker gewerkt en ik zou een onbeduidend administratief baantje gevonden hebben. Het is geen opwekkend beeld, toch zou ik dat leven onmiddellijk willen gaan leiden als dat zou betekenen dat we ze terugkregen."

„Dat is nu eenmaal niet reëel," merkte Arnoud kalm op. „Ga jezelf nou geen schuldgevoelens aan zitten praten omdat de dood van onze ouders geleid heeft tot het leven dat we nu hebben en dat ons goed bevalt. Vergeet niet dat we ook ontzettend veel verdriet gehad hebben, en nog. Trouwens, wie zegt dat we op een andere manier niet gelukkig waren geworden? Het beeld dat jij nu schetst van wat had kunnen zijn, is behoorlijk negatief."

„Ik geloof anders nooit dat wij een goede band hadden gekregen zonder het ongeluk."

„Maar daarom had ons leven niet slechter hoeven verlopen. Wellicht zelfs wel beter, al moet ik zeggen dat ik erg blij ben dat we tegenwoordig zo goed met elkaar overweg kunnen. Maar de prijs was enorm hoog."

„Sommige mensen noemen onze band ziekelijk," zei Connie.

„Nou en?" Arnoud trok luchtig met zijn schouders. Hij was niet snel van zijn stuk gebracht en trok zich over het algemeen weinig aan van de mening van buitenstaanders. „Die mensen hebben geen idee waar we doorheen gegaan zijn, die oordelen vanuit hun eigen, beschermde wereldje en hebben zelf amper iets meegemaakt. Wij hadden én hebben elkaar hard nodig, Con. Ik zou tenminste niet weten wat ik zonder jou zou moeten beginnen."

Hij trok haar even stevig tegen zich aan en leidde haar daarna zachtjes richting uitgang. Het was al laat en hij kreeg honger. Arnoud vond weinig bij het graf van zijn ouders. Veel liever keek hij naar foto's van hen, zodat hij ze zag zoals ze geweest waren. Hij ging echter altijd mee als Connie dat vroeg.

„Wat die Pamela vanochtend zei, heeft me anders wel aan het denken gezet," peinsde Connie terwijl ze langzaam terugliepen naar hun auto. „Wat als één van ons een serieuze relatie krijgt?"

„Wat zou daar mis mee zijn? Ik zou het je gunnen," zei Arnoud.

„Ik heb het niet alleen over mezelf," zei Connie met een blik opzij naar zijn gesloten gezicht. Dit was een onderwerp waar Arnoud moeilijk over sprak. „Volgens mij zag die Pamela jou wel zitten. Ze vroeg niet voor niets zo door."

Arnoud schoot in de lach. „Dat is dan erg jammer voor haar. Ze is mijn type niet."

„Wat is jouw type dan wel?" wilde Connie weten.

„Ik hou van vrouwen die initiatief durven nemen zonder dat ze opdringerig worden. Een vrouw met gevoel voor humor, iemand die niet zeurt en die eerlijk is. Een geëmancipeerde vrouw met ambitie die haar eigen leven heeft, maar die haar relatie voorop stelt. Uiterlijk is niet het belangrijkste, als ze zichzelf maar goed verzorgt en lekker ruikt. Verder moet ze accepteren dat ik mijn werk heel belangrijk vind en dat jij een grote plaats in mijn leven inneemt."

„Hm, een schaap met vijf poten dus," zei Connie geringschattend.

„Precies zusje." Hij grinnikte. „Zo eentje bestaat er niet, dus blijf ik lekker vrijgezel. Wel zo rustig. Mijn dromen over een eigen gezin heb ik lang geleden al opgegeven, dat weet je."

„Maar wil je dan altijd alleen blijven?"

„Dat heb ik niet gezegd. Misschien kom ik ooit nog wel iemand tegen die aan mijn eisen voldoet, maar ik ben er niet naar op zoek. Waar gaan we eten? Ik heb honger en geen zin meer om de keuken in te duiken."

„Bij de Italiaan," antwoordde Connie. Ze wist dat het geen zin had om verder op dit onderwerp in te gaan. Arnoud was er heel goed in om te laten merken dat hij ergens niet meer over wilde praten. Ze had daar ook begrip voor. Ze was op de hoogte van zijn redenen om zijn carrière voorop te stellen in het leven, maar ze praatten daar bijna nooit over samen.

„Zullen we de auto laten staan en gaan lopen?" stelde ze voor. Ze haakte gezellig haar arm door de zijne. „Het is zulk lekker weer. Ik ruik de lente."

Nog even keek ze achterom voor ze de begraafplaats verlieten. Iedere keer vond ze het moeilijk om haar ouders achter te laten. Bijna alsof ze hen in de steek liet. Na al die jaren wende dat nog steeds niet. Ze vermande zich echter en begon een vrolijk gesprek over een paar klanten van die middag. Arnoud liep er ineens zo stilletjes en somber bij, ze wilde hem graag opvrolijken. Hij ging er gretig op in en zo kwamen ze even later lachend en kletsend binnen in hun favoriete Italiaanse restaurantje, waar ze de heer- lijkste pizza's van de stad maakten, volgens Connie.

„Ik wed dat ik het beter kan," pochte Arnoud.

„Dan wordt het tijd dat je dat eens laat zien. Zaterdagavond," eiste Connie. „Dan zorg jij voor eigengemaakte pizza en ik voor wijn."

„Deal." Arnoud hief zijn glas naar Connie op en glimlachte naar haar. „Op ons, zusje. We hebben het toch maar mooi voor elkaar samen, ondanks alles. Ik ben best trots op ons."

Connie beantwoordde zijn gebaar. Een warm gevoel sloeg door haar lichaam heen. Van alle mensen op de wereld hield ze het meeste van haar broer en ze wist dat dat gevoel wederzijds was. Samen stonden ze sterk in deze wereld. Daar zou nooit iets of iemand tussen kunnen komen.

HOOFDSTUK 2

Het duurde twee maanden voor het artikel in 'Iris' verscheen. Connie was het eigenlijk alweer vergeten toen ze het bij thuiskomst 's avonds in hun brievenbus vonden.

„O, kijk," zei ze verrast. Snel scheurde ze de plastic verpakking eraf om het blad door te bladeren.

„Kun je niet wachten tot we boven zijn?" bromde Arnoud.

„Maar het is zo leuk. Moet je die foto's zien." In de lift toonde ze hem de bewuste pagina's. Bij het artikel stonden drie foto's. Eentje van Connie en Arnoud samen achter de counter, een die een overzicht van de zaak toonde en waarop hun vitrine met gebak duidelijk zichtbaar was en een van Arnoud die net een plaat met verse broodjes uit de oven haalde. Hij draaide zich net half om en lachte in de camera.

„Ik wist niet dat jij zo fotogeniek was," genoot Connie. „Je staat er echt heel leuk op."

„Ze nam hem onverwachts," vertelde Arnoud. „Ik pakte net die plaat uit de oven toen ze me riep. Bij het omdraaien schoot ze ineens een paar plaatjes."

„Je vond die fotografe dus leuk," concludeerde Connie tevreden. „Anders zou je niet zo naar haar lachen. Ruik ik een romance?"

„Zeg, hou jij eens op. Eerst probeerde je me al aan die journaliste te koppelen en nu weer aan de fotografe. Wat heb jij de laatste tijd?"

„Dat is de lente die in de lucht hangt. Je ruikt de bloemen, je hoort de vogels, het is voorjaar!"

„En het begint te regenen," zei Arnoud prozaïsch. „Rennen als je niet doornat wilt worden."

Snel renden ze de galerij op de vijfde verdieping over naar hun voordeur.

Connie en Arnoud bewoonden een ruime, gerieflijke flat, die gezellig was ingericht met licht houten meubels, veel kussens en veel planten. Dat laatste was vooral Connies werk. Arnouds kamer was een typische mannenkamer waar niets overbodigs in stond terwijl Connies slaapkamer vol stond met beeldjes, flesjes parfum en een rijkelijk voorziene toilettafel. Haar muren hingen vol foto's, voornamelijk uit de tijd dat ze met zijn vieren nog een gezellig gezin vormden. Arnoud bewaarde zijn foto's juist diep in een kast en hij pakte ze alleen als hij de behoefte voelde om de vertrouwde gezichten van vroeger terug te zien. De vierde kamer in hun flat werd gebruikt als rommelkamer annex logeerkamer. Niet dat ze ooit logés hadden, maar er stond een opklapbed, dus gebruikte Connie die benaming altijd.

Ze krulde zich nu genoeglijk op in een hoekje van hun brede bank en begon het artikel aandachtig door te lezen. De reportage ging over de winkelstraat waar ze in gevestigd waren en bevatte veel informatie over de winkels, de producten die er verkocht werden en de festiviteiten die er regelmatig georganiseerd werden. Behalve hun lunchroom waren er nog twee zaken uitgelicht, de groentewinkel en een klein winkeltje in exclusieve cadeauartikelen.

„Dat wist ik helemaal niet," zei Connie al lezend. „De mensen van de groentewinkel zijn allemaal familie van elkaar. Neven, nichten, schoonfamilie, van alles wat. Er werken acht mensen, waarvan zes parttime en zelfs oma, de moeder van de eigenaar, werkt erin mee. Leuk. En hier, moet je het verhaal achter het cadeauwinkeltje lezen. Die eigenaresse heeft jarenlang op straat geleefd nadat ze op zestienjarige leeftijd van huis was weggelopen. In die periode droomde ze ervan om mooie dingen te bezitten, vandaar dat ze deze winkel begonnen is toen haar leven weer een beetje op de rails stond. Interessant hoor. We kennen die mensen allemaal al jaren van gezicht en van af en toe een praatje over en weer, maar hier had ik geen flauw vermoeden van."

„Dat zeggen ze nu van ons waarschijnlijk ook, als ze dit artikel lezen," merkte Arnoud terecht op. Hij wreef in zijn handen en zette de verwarming iets hoger. Nu het lentezonnetje plaats had gemaakt voor een behoorlijke regenbui was het ineens een stuk killer.

„Wat ben jij toch nuchter," verweet Connie hem. „Vind je die achtergrondverhalen niet vreselijk romantisch?"

„Ik vind ze vooral overbodig. Wat kan het de klanten nu schelen wat zich allemaal afgespeeld heeft voordat iemand een zaak begon? Als de producten die verkocht worden maar goed zijn," meende hij.

„Er wordt in ieder geval flink reclame voor gemaakt, zeker voor ons. 'Vers gebak, op ambachtelijke wijze bereid en overheerlijk,'" las ze voor. „'De jonge, enthousiaste banketbakker Arnoud Verschuur maakt alles zelf in de moderne keuken achterin de zaak. Iedere ochtend staat hij voor dag en dauw op om voor zijn klanten de meest heerlijke producten te bereiden, in diverse variaties.' Nou, is dat reclame of niet?" lachte ze. „Je komt er goed vanaf, broertje. Heel wat beter dan ik tenminste. Ik word amper vermeld en op die foto van ons samen trek ik net een heel raar gezicht."

„Je bent gek," was Arnouds commentaar nadat hij een blik op de foto had geworpen. „Je ziet er prima uit. Hoe is het verhaal erbij?"

„Goed, ik kan niet anders zeggen. Niet overdreven, niet sentimenteel. Het vliegtuigongeluk en alles wat daaruit voortgevloeid is, is echt gebruikt als achtergrondinformatie waar verder niet op wordt teruggekomen, het voert beslist niet de boventoon. Hier, lees het zelf maar, dan ga ik iets te eten klaarmaken." Ze overhandigde hem het tijdschrift en ging naar de keuken. Arnoud en zij kookten om beurten, hoewel ze moest toegeven dat hij er veel meer werk van maakte. Zij maakte altijd eenvoudige maaltijden klaar of warmde alleen iets op in de magnetron, waar ze dan een bak sla bij serveerde. Arnoud kookte veel uitgebreider en gezonder.

Even later zaten ze tegenover elkaar aan de kleine eethoek. Connie had kant-en-klaar gekochte nasi opgewarmd en er eieren bij gebakken. Zakjes saté uit de diepvries en een zak kroepoek maakten de maaltijd compleet.

„Goh, wat heb je jezelf weer uitgesloofd," plaagde Arnoud.

„Ik ben nu eenmaal een goede kok," reageerde ze verwaand. „Daar kan jij niet aan tippen, jongetje."

„Ik weet het, maar ik bezit mijn ziel in lijdzaamheid." Hij grijnsde naar haar. „Het is inderdaad een goed en vlot geschreven artikel," zei hij toen, het gesprek weer terugbrengend op het tijdschrift dat op de salontafel lag. „Die Pamela kan er wat van."

„Ik vond het ook best een leuke vrouw. Weet je zeker dat je niet stiekem toch gecharmeerd van haar bent? Zij was het wel van jou."

„Ik heb je al verteld hoe mijn eventuele volgende vriendin in elkaar moet steken en Pamela past niet in dat plaatje," antwoordde Arnoud afwerend. „Laten we het liever hebben over de toekomst van de zaak. Het zit er dik in dat het de komende tijd een stuk drukker zal worden, zo gaat dat nu eenmaal na goede recensies. Mensen worden dan nieuwsgierig en willen zelf komen bekijken en proeven of het echt zo is."

„Dat kan ik wel aan," zei Connie zelfbewust. „Desnoods vraag ik of Denise na schooltijd wil komen helpen." Daarmee doelde ze op hun zeventienjarige zaterdaghulp, die vaker bijsprong als het nodig was. „Misschien is dit net wat we nodig hebben en kunnen we binnen afzienbare tijd onze tweede zaak openen."

Daar droomden ze samen al een tijdje van, maar het runnen van één goedlopende zaak was al zo enerverend dat hun plannen nog steeds in de ijskast lagen. Bovendien wilde Arnoud het liefst alles zelf doen en dat werd met een keten onmogelijk. Fantaseren deden ze er echter wel regelmatig over, zo ook deze avond. Connie wilde ook enkele dingen aan het interieur vernieuwen en toonde Arnoud wat stalen van gordijnstoffen en behang. Zo ging de avond rustig voorbij. Een beetje té rustig misschien, dacht Connie toen ze later in bed lag. Eigenlijk leidden Arnoud en zij een zeer gezapig leventje. Ze werkten, aten, en gingen meestal vroeg naar bed. Hun sociale contacten beperkten zich tot praatjes met de klanten, hun medewerkers en leveranciers. Veel familieleden bezaten ze niet en vriendschappen van vroeger waren verwaterd. Het vliegtuigongeluk van hun ouders had letterlijk alles overhoop gegooid. Arnoud en zij hadden zich vol overgave op de oprichting van hun zaak gestort in een poging wat afleiding te vinden van het enorme verdriet, waardoor ze nergens anders meer aan toekwamen. Zo was er langzaam maar zeker een vast patroon in hun leven ontstaan, met de zaak als middelpunt. Alles draaide om hun werk, meer leek er niet te zijn. Soms benauwde haar dat. Ze was vierentwintig, maar leidde het leven van een oudere vrouw die niets meer verwachtte. Arnoud en zij leken af en toe net een bezadigd echtpaar. Alles was zo rustig, zo vlak, zo voorspelbaar. Rusteloos draaide Connie zich om in haar bed. Ze was tevreden met wat ze had, maar niet echt gelukkig. Er moest meer zijn, maar wat?

Toen hun ouders verongelukten had ze net de relatie met haar toenmalige vriend verbroken en sindsdien was er geen man meer in haar leven geweest. Ze had er simpelweg geen tijd voor en bovendien geen behoefte aan. Tegenwoordig begon het echter wel eens te kriebelen in haar maagstreek. Ze zou best wel weer een leuke vriend willen hebben, net zoals ze Arnoud een leuke vriendin gunde. Ze wist echter ook dat een eventuele partner van zeer goeden huize moest komen om op te kunnen boksen tegen de relatie die ze met Arnoud had. Van zijn kant gold precies hetzelfde. Ze waren zo'n hechte eenheid geworden in de loop der jaren dat daar niemand tussen kon komen. Voor een partner zou dat best wel eens moeilijk kunnen zijn.

Maar ach, wat lag ze toch te malen? Dergelijk gepieker leidde nergens toe. Als er ergens op deze wereld een man rondliep die voor haar bestemd was, kwam ze hem vanzelf wel een keer tegen. En als hij echt van haar hield zou hij er begrip voor hebben dat

Arnoud heel erg belangrijk voor haar was, stelde Connie zichzelf gerust. Ze moest niet zo zeuren en gewoon gaan slapen. Het leven verliep toch wel zoals het moest, daar hadden ze ervaring mee. Je kon nog zoveel mooie plannen maken voor de toekomst, het kon in één enkele seconde allemaal voorgoed veranderen, niemand wist dat beter dan zij.

Het artikel in Iris had inderdaad voor een flinke toeloop van klanten gezorgd en er brak een drukke tijd aan voor Connie en Arnoud. Tijmen, Arnouds assistent, was inmiddels gelukkig goed genoeg ingewerkt om een aantal taken in de keuken over te nemen, al vond Arnoud het moeilijk om werk uit handen te geven. Het liefst deed hij alles zelf, maar dat was gewoonweg niet haalbaar. De administratie en de inkoop liet hij echter nooit aan Tijmen over, dat was echt zijn afdeling. Hij trok zich dan altijd terug in het piepkleine kantoortje achter de keuken, naast hun opslagruimte. Het was een kamertje van twee bij twee meter, waar net een bureau en een grote kast voor de administratie in pasten. Meer had hij ook niet nodig, meende Arnoud echter altijd opgewekt. Hij vond het altijd heerlijk om zich daar even een uurtje terug te trekken als het voorbereidende werk in de keuken voor die dag gedaan was en de ovens op volle kracht draaiden om het perfecte gebak en broodjes af te leveren.

Nadat hij zijn bestellingen gedaan had, checkte hij zijn mail, die over het algemeen bestond uit zakelijke mededelingen van leveranciers. Deze keer stond er echter een persoonlijk bericht tussen dat direct zijn aandacht trok.

'Hallo, knappe kok,' luidde de aanhef.

'Je zult wel verbaasd zijn als je dit leest, maar na het zien van je foto's en het lezen van het artikel in Iris kon ik het niet nalaten om contact met je te zoeken. Ik ben geen wanhopige vrouw die kost wat kost een man wil hebben, toch kan ik jou niet uit mijn hoofd zetten. Ooit gehoord van liefde op het eerste gezicht? In mijn geval was het verliefdheid bij de eerste blik op jouw papieren beeltenis. Het feit dat je vrijgezel bent, spreekt me dan ook enorm aan. (Al duurt dat hopelijk niet lang meer!) Mijn naam is Judy Jacobs, 26 jaar, ik heb kastanjerood haar en groene ogen en mensen zeggen van mij dat ik vrolijk en levendig ben. Als deze beschrijving je aanspreekt, laat dan iets van je horen. Mocht je geen interesse hebben, bedenk dan goed wat je misloopt. Hopelijk schrikt deze directe benadering je niet af, maar wees niet bang: ik ben niet op zoek naar een geschikte echtgenoot. Ik vind je gewoon leuk en zou je graag leren kennen.

Hopelijk tot horens of tot ziens, Judy.'

Arnoud las het mailtje drie keer over voor het echt tot hem doordrong, toen verscheen er een brede glimlach op zijn gezicht. Dit was nog eens iets anders dan een zakelijk bericht. Hij probeerde zich een voorstelling te maken van deze Judy Jacobs. Kastanjerood haar en groene ogen, schreef ze. Waarschijnlijk had ze dan ook sproeten en een lichte huidskleur. In ieder geval had ze geen gebrek aan zelfvertrouwen en durfde ze zich kwetsbaar op te stellen. Het leek hem iemand die sterk in haar schoenen stond, die wist wat ze waard was en die haar leven graag in eigen hand nam in plaats van af te gaan zitten wachten wat het lot voor haar in petto had. Sowieso durfde ze initiatief te nemen, een eigenschap die hem altijd heel erg aansprak. Tenslotte leefden ze in de eenentwintigste eeuw, de tijd dat een man de eerste stap moest doen waren ze allang voorbij.

Hij hoefde er dan ook niet lang over na te denken of hij op dit berichtje wilde antwoorden. Terwijl zijn vingers over de toetsen vlogen voelde hij zich vreemd opgewonden worden. Het zou onzin zijn om te zeggen dat hij op slag verliefd was geworden, maar ver zat zijn gevoel daar niet naast. Als deze Judy inderdaad zo was als ze nu op hem over kwam, zat ze voor hem heel dicht bij de ideale vrouw zoals hij die pas nog aan Connie beschreven had, al was hij nuchter genoeg om te beseffen dat ze ook heel erg tegen kon vallen. Bovendien kon ze nog zo leuk zijn, hij moest ook maar afwachten of het wel zou klikken tussen hen. Een nadere kennismaking kon echter nooit kwaad, dacht hij met een glimlach terwijl hij het bericht dat hij getypt had nog eens overlas.

'Hallo Judy,

Ik was blij verrast met jouw mailtje. Nooit verwacht dat een artikel in een tijdschrift nog eens als contactadvertentie zou fungeren. Als jij inderdaad zo vrolijk en levendig bent, zoals je schreef, lijkt het me leuk om kennis te maken. Bel me eens op, dan maken we een afspraak.

Ik hoop snel van je te horen, Arnoud.'

Ja, zo kon het wel. Niet te lang en het klonk niet al te happig, oordeelde Arnoud. Hij klikte op 'verzenden' en leunde tevreden achterover. Nu maar afwachten of ze inderdaad nog contact op zou nemen, hij hoopte van wel. In het artikel stond het adres en telefoonnummer van hun zaak vermeld, dus dat hoefde hij niet door te geven. Hij staarde naar de telefoon op het bureau alsof hij verwachtte dat die onmiddellijk over zou gaan.

„En ik maar denken dat je hard aan het werk bent," klonk Connies plagende stem. Hij had niet eens gemerkt dat ze het kantoortje in was gekomen. Met haar armen over elkaar heen geslagen keek ze hem geamuseerd aan. „Weet je wel hoe druk het in de zaak is?"

„Sorry, ik zat te dagdromen," verontschuldigde hij zich.

„Je kijkt alsof je verliefd bent."

„Nou, verliefd is een groot woord. Maar wie weet wat de toekomst brengt," zei Arnoud geheimzinnig. Hij draaide het beeldscherm naar haar toe en liet haar als vanzelfsprekend het berichtje van Judy lezen. Broer en zus hadden nu eenmaal geen geheimen voor elkaar.

„Ze klinkt leuk, spontaan," meende Connie. „Ga je haar antwoorden?"

„Dat heb ik al gedaan. Ik heb hier een goed gevoel over, dus ik hoop dat ze me belt."

„Jij kunt haar ook bellen natuurlijk."

„Ik heb haar nummer niet, zij het mijne wel."

„Dan moet je maar gewoon afwachten. Maar denk je dat je tijdens dat wachten ook nog wat werk kunt verrichten? Tijmen kan het niet aan in zijn eentje, hij heeft je hard nodig."

„Ik kom eraan." Arnoud zette zijn computer uit en haastte zich naar de keuken. Hij was langer in zijn kantoortje gebleven dan zijn gewoonte was, merkte hij met een blik op de klok. Het was maar goed dat Connie hem was komen halen, anders was hij waarschijnlijk de hele ochtend achter zijn bureau blijven dromen. Dit onverwachte mailtje had een gevoelige snaar bij hem geraakt. Gevoelens die hij al jaren weggestopt had en waarvan hij had gedacht dat hij ze niet meer belangrijk vond, staken plotseling de kop weer op. Deze onbekende Judy intrigeerde hem bijzonder en hij was benieuwd hoe een eventuele ontmoeting uit zou pakken.

Ook Connies gedachten cirkelden om Judy. Ze gunde Arnoud van harte al het mogelijke geluk, toch kon ze een kleine steek van jaloezie niet onderdrukken. Waar zij stiekem over fantaseerde, werd hem zomaar in de schoot geworpen. Arnoud, die totaal geen belangstelling had voor vrouwen en die een relatie helemaal niet ambieerde, kreeg naar aanleiding van dat artikel een vrouw op een presenteerblaadje aangeboden. Hij was nogal enthousiast over haar, peinsde Connie terwijl ze automatisch haar werk achter de counter deed. Iets wat eigenlijk niets voor de realistische en nuchtere Arnoud was. Op wat losse vriendinnetjes na had hij nog nooit een serieuze relatie gehad en eigenlijk had ze wel eens gedacht dat hij eeuwig vrijgezel zou blijven. En nu was daar ineens een zekere Judy Jacobs die slechts met een kort berichtje op de computer in staat was zijn hart op hol te doen slaan. Ze klonk dan ook wel heel erg leuk en zelfverzekerd, moest Connie toegeven. Precies het type vrouw dat Arnoud aantrok.

Maar waar bleef zij als dit inderdaad wat werd? In gedachten zag Connie zichzelf al avond na avond alleen in de flat zitten. Ze rilde van afschuw. De levens van Arnoud en haar waren zo met elkaar verweven dat het bijna ondenkbaar was dat er iemand bij zou komen. Of ertussen. Even kreeg ze het benauwd bij dat denkbeeld. Zomaar ineens kreeg ze het gevoel dat hun levens op het punt stonden te veranderen, maar ze wist niet of dat positief of negatief uit zou pakken. Ze kon alleen maar hopen op het eerste.

HOOFDSTUK 3

Met een verwachtingsvol gezicht klikte Judy Jacobs het postvakje op haar beeldscherm aan. De avond daarvoor had ze in een opwelling het bericht aan Arnoud Verschuur gestuurd en eigenlijk verwachtte ze niet direct iets terug, toch klopte haar hart hoopvol. Veertien berichten had ze, zag ze. Snel vlogen haar ogen over de afzenders. Haar zus, haar ouders, vier berichten van haar werkgever, reclame, er stond van alles wat. Maar daar, bijna onderaan, stond dan toch de naam die ze gehoopt had te zien. Even aarzelde ze voor ze het betreffende bericht aanklikte. De kans op een afwijzend antwoord was tenslotte erg groot, zeker omdat hij al zo snel reageerde. Misschien lachte hij haar wel hartelijk uit. Met ingehouden adem las ze de paar regels, toen slaakte ze een harde kreet. Yes! Hij wilde haar ook graag ontmoeten! Haar maag maakte een spontaan rondedansje door haar lijf. Dit had ze gehoopt, maar niet echt durven verwachten. Ze begreep zelf ook niet goed waar ze de moed vandaan had gehaald om hem zo'n openhartig mailtje te sturen, maar ze was meteen bij de eerste aanblik al zo getroffen door zijn foto dat ze heel impulsief had gehandeld. Het bericht dat ze had getypt, had ze niet eens over durven lezen voor ze het verstuurde, bang dat ze dan alsnog de moed zou verliezen. De hele dag had ze doorgebracht tussen hoop en vrees. Het ene moment fantaseerde ze over een ontmoeting met daaruit voortvloeiend een relatie, het andere moment wist ze heel zeker dat hij deze actie belachelijk zou vinden en niet eens de moeite zou nemen om een bericht terug te sturen. Beurtelings had ze zichzelf trots gevoeld omdat ze dit durfde en zichzelf geschaamd omdat ze het echt gedaan had.

Op dit moment was ze alleen maar blij. Natuurlijk wist ze heel goed dat een ontmoeting zwaar tegen kon vallen, maar dat zag ze dan wel weer. Ze had het in ieder geval aangedurfd om het lot een handje te helpen, ongeacht hoe het verder uit zou pakken. Als het niets werd had ze tenslotte niets verloren, behalve misschien een illusie.

De rest van de avond voelde Judy zich licht en vrolijk. Het liefst had ze meteen de telefoon gepakt om een afspraak met Arnoud te maken, maar omdat ze geen privénummer van hem had moest ze wachten tot de volgende dag. Ze was benieuwd hoe zijn stem klonk en hoe hij op haar over zou komen. Een foto was tenslotte heel iets anders dan een driedimensionaal beeld. Diep in haar hart was ze ervan overtuigd dat hij niet tegen zou vallen. Ze was heus geen groentje op het gebied van mannen en ze had al heel wat vrienden versleten die achteraf toch niet bleken te zijn zoals ze verwacht had. Relaties beëindigen deed ze dan ook net zo makkelijk als relaties aanknopen, toch voelde het nu anders. Zodra ze een blik op Arnouds foto had geworpen, had ze het gevoel gekregen dat ze hem al heel lang kende en dat ze voor elkaar bestemd waren. Een gevoel dat ze niet kon verklaren, maar ook niet verloochenen.

Ze voelde er dan ook niets voor om interessant te gaan doen en hem te laten wachten op een telefoontje van haar kant, maar belde meteen de volgende ochtend naar het nummer van de lunchroom, dat in het artikel vermeld stond. Ze hoopte dat ze direct Arnoud aan de lijn zou krijgen, maar het was Connie die opnam.

„Goedemorgen, met Judy Jacobs. Zou ik Arnoud Verschuur mogen spreken?" vroeg ze beleefd.

„Een momentje, dan verbind ik u door. O, wacht even." Connies stem klonk ineens heel belangstellend. „Jij bent de Judy Jacobs van dat mailtje! Nou, je laat er geen gras over groeien. Moedig hoor. Ik verbind je door. Succes."

Judy vroeg zich af of dat laatste woord inderdaad sarcastisch klonk of dat ze zich dat verbeeldde. Ze vond het overigens erg vreemd dat deze Connie blijkbaar van alles op de hoogte was. Maar Connie en Arnoud hadden een erg hechte band met elkaar, herinnerde ze zich toen weer uit het artikel. Ze runden samen de zaak en woonden samen op een flat, dus waarschijnlijk was het dan logisch dat ze alles bespraken met elkaar, ook hun liefdesleven. Dat laatste benauwde haar enigszins. Ze hoopte toch niet dat ieder detail van hun komende afspraakje met Connie doorgenomen zou worden. Misschien fungeerde Connie zelfs wel als adviesorgaan, grinnikte Judy bij zichzelf. Dan moest ze eerst kennismaken met haar en zou Connie beslissen of Arnoud wel of niet met haar uit mocht gaan. Ze zag het al helemaal voor zich. Judy ging zo in haar fantasie op dat ze niet eens merkte dat Arnoud aan de andere kant van de lijn verscheen.

„Hallo?" klonk zijn stem ongeduldig voor de tweede keer.

„O eh, sorry, ik was even in gedachten," verontschuldigde Judy zich. Het schaamrood vloog haar naar de kaken en ze was blij dat Arnoud niet in het bezit was van een beeldtelefoon. „Je spreekt met Judy Jacobs."

„Aha, dé Judy." Hij klonk ineens een stuk opgewekter, wat haar nieuwe moed gaf.

„De enige echte, ja," lachte ze. „Schrok je niet heel erg van mijn berichtje? Ik vraag me achteraf af waar ik de moed vandaan heb gehaald."

„Ik was er alleen maar blij mee," verzekerde hij haar. „Zelf ben ik nooit zo voortvarend, met als gevolg dat ik een zeer saai sociaal leven leid."

„O, daar heb ik geen last van, hoewel ik moet zeggen dat dit de eerste keer was dat ik een wildvreemde zo overvallen heb. Je foto deed iets met me wat ik niet kan verklaren," zei Judy eerlijk. Met ingehouden adem wachtte ze af hoe hij zou reageren op deze openhartige woorden. Tenslotte kwam ze hiermee heel dicht in de buurt van een regelrechte liefdesverklaring en het zou niet vreemd zijn als Arnoud daarvoor terug zou schrikken. Tot haar grote opluchting schoot hij echter in de lach.

„Ach ja, ik schijn zeer fotogeniek te zijn, volgens mijn zus. Nu maar hopen dat ik in het wild niet tegenval."

„Dat kan ik me niet voorstellen."

„Er is maar één manier om daarachter te komen. Waar en wanneer spreken we af? Zullen we vanavond uit eten gaan?"

„Vanavond?" herhaalde Judy dociel. Dat was wel heel erg snel, dat zou ze zelf nooit hebben durven voorstellen.

„Ga nu niet ineens interessant lopen roepen dat je het te druk hebt," klonk Arnouds stem plagend in haar oor. „Daar trap ik niet meer in."

„Nee, nee, vanavond kan ik wel," zei Judy haastig voor hij zich zou bedenken. „Hoe laat?"

„Om zeven uur in de Wilgenhof?" stelde Arnoud voor. „Red jij dat? Ik weet niet hoe laat je klaar bent met werken."

„Om vijf uur, dus dat is geen probleem. Oké dan, om zeven uur. Gezellig, ik verheug me erop."

„Ik ook," zei Arnoud met een warme klank in zijn stem.

Ze verbraken de verbinding en Judy ademde langzaam uit, iets wat ze tijdens hun gesprek bijna vergeten was om te doen. De spanning die ze gevoeld had voor ze het bewuste telefoonnummer durfde te draaien viel nu van haar af. Dit eerste gesprek was haar honderd procent meegevallen. Ze hadden direct de juiste toon gevonden samen en er was geen enkel geforceerd moment geweest. Dit ging zelfs steeds beter voelen.

Arnoud dacht daar precies zo over. Tot aan haar telefoontje had hij nog de vage angst gehad dat het om een grap ging en nu ze echt gebeld had was er een last van zijn schouders gevallen.

„En?" Plotseling stond Connie voor hem. Ze keek hem nieuwsgierig aan.

„We hebben afgesproken om vanavond samen uit eten te gaan," vertelde Arnoud zonder enige terughoudendheid. „Ze klinkt echt leuk, Con. Ik heb hier een heel goed gevoel over."

„Ik zou het nog maar even afwachten," reageerde Connie enigszins pinnig. „Hoe hoger je verwachtingen, hoe harder het tegenvalt. Ik had trouwens al eten gemaakt voor ons voor vanavond."

„Nee, je hebt een macaronischotel gekocht die de magnetron in moet," verbeterde Arnoud haar. „Sorry Con, die zul je in je eentje op moeten eten."

Fluitend ging hij verder met zijn werk. Zijn dag kon al niet meer stuk, in tegenstelling tot die van zijn zus. Connie voelde zich vreemd ontheemd na Arnouds mededeling. Ze hoopte echt voor hem dat het wat zou worden met die Judy en dat hij gelukkig werd, maar het ging ineens allemaal zo snel. Ze had Arnoud nog nooit zo enthousiast gezien over een vrouw en dat terwijl het om een vrouw ging die hij nog niet eens ontmoet had. Het was net of zij, Connie, hem al een beetje kwijt was en dat was geen prettig gevoel. Als het serieus iets zou worden tussen hem en Judy, zou zij voortaan op de tweede plaats komen bij hem. Logisch, maar moeilijk te verteren, gaf Connie eerlijk aan zichzelf toe. Natuurlijk had ze geweten dat zoiets ooit zou gebeuren, maar dit ging in zo'n razende vaart dat ze zich er niet op voor had kunnen bereiden. Van het ene op het andere moment leek het alsof zij aan de kant werd gezet. Arnoud zag eruit als een verliefde tiener en hij liep met zijn hoofd in de wolken. En dat voor een man die alle dromen over een eigen gezin opzij had gezet en zich helemaal op zijn werk had gestort om die lege plek in zijn leven op te vullen. Maar misschien viel die Judy in het echt wel vreselijk tegen en bleef het bij een eenmalige afspraak. Connie wist zelf niet of ze daarop hoopte of niet.

Arnoud had overigens geen last van dat soort bedenkingen. De dag ging voor hem veel te langzaam voorbij, maar eindelijk brak dan toch het moment aan dat hij voor restaurant de Wilgenhof uit de auto stapte. Het was een groot, vrijstaand en statig gebouw, wit geschilderd en met donkergroene luiken. In de wijde omgeving stond de Wilgenhof bekend om zijn uitstekende gerechten en goede service. Hij hoopte maar dat Judy een vrouw was die dat kon waarderen in plaats van de voorkeur te geven aan een eetcafé. Zijn hart klopte wild in zijn borstkas. Hij zou het nooit openlijk toegeven, maar hij was behoorlijk zenuwachtig. Hij had het gevoel dat deze avond de rest van zijn leven zou bepalen, alsof dit zijn enige kans was op geluk. Hoewel hij te vroeg van huis weg was gegaan, was hij toch nog maar net op tijd omdat hij enige tijd stil had gestaan achter twee wagens die tegen elkaar aan waren gereden. Hij hoopte dat Judy er al zou zijn en vroeg zich af of hij haar direct zou herkennen.

„Arnoud?" klonk ineens een vragende stem naast hem.

Opkijkend zag hij een jonge vrouw staan, half verscholen achter een grote plant in een donkergrijze pot, naast de imposante toegangsdeur. Ze kwam ongeveer tot aan zijn schouders, had rossig haar, groene ogen en een mollig figuur. Een weelderig figuur, was de eerste gedachte die in hem opkwam. Haar groene ogen stonden levendig in haar gezicht en ze had een energieke uitstraling. Arnouds adem stokte even in zijn keel. Dit moest haar zijn! Zijn eerste indruk was op zijn minst gunstig te noemen.

„Jij moet Judy zijn," zei hij met een glimlach. „Judy Jacobs."

„JJ voor intimi," zei ze vrolijk.

„Dat klinkt gezellig, maar als iedereen je JJ noemt, zeg ik liever gewoon Judy."

„Aha, je houdt van exclusiviteit."

„Zoiets, ja. Sta je hier al lang?" wilde hij weten.

Judy schudde haar hoofd, zodat haar lange haren om haar gezicht deinden. „Vijf minuten, schat ik, dus dat valt mee. Ik heb me in kunnen houden vanavond, meestal kom ik ergens een half uur te vroeg aan."

„Waarom ben je niet gewoon binnen gaan zitten? Voor hetzelfde geld was ik er al geweest en had je hier voor niets op de uitkijk gestaan."

„Daar had ik me natuurlijk al van overtuigd," zei ze met een guitige lach. „Binnen was je niet, vandaar. Ik heb er een hekel aan om in mijn eentje aan een tafel in een restaurant te zitten."

„Sorry," verontschuldigde hij zich meteen. „Ik had hier eerder willen zijn, maar ik zat vast onderweg."

„Dat geeft toch niet." Met een vanzelfsprekend gebaar stak Judy haar arm door de zijne en zo wandelden ze samen naar binnen. Arnoud voelde zich ongekend gelukkig door haar simpele gebaar. Het had iets vertrouwds, alsof ze elkaar al veel langer kenden. Zo voelde het trouwens ook. Ze hadden direct een ontspannen toon te pakken en voelden zich allebei meteen op hun gemak. Er was niets vreemds of onwennigs aan om tegenover elkaar aan het tafeltje te zitten.

Tot zijn genoegen zag Arnoud dat Judy zich echt gekleed had voor hun eerste afspraakje. De Wilgenhof was geen restaurant waar je in je spijkerbroek naar binnen wandelde, dus zelf had hij ook een pak aangetrokken en een stropdas omgedaan. Uiterlijk vertoon zei hem niet zoveel, maar hij kleedde zich wel graag naar de gelegenheid en hij vond het fijn dat Judy daar ook moeite voor gedaan had. De crèmekleurige jurk die ze droeg stond uitstekend bij haar rossige haren, die ze zelf kastanjekleurig had genoemd in haar mailtje. Met de beste wil van de wereld kon hij die kleur niet ontdekken, maar dat gaf niet. Al waren haar haren pimpelpaars geweest, dan had hij dat nog niet erg gevonden.

„Ben je hier vaker geweest?" vroeg hij.

„Eén keer, drie jaar geleden. Mijn ouders gaven hier toen een etentje omdat ze dertig jaar getrouwd waren," vertelde ze. „Mijn salaris laat uitspattingen als dit soort restaurants niet toe."

„Het eten is hier uitstekend."

„Dat kan ik me nog herinneren, ja." Ze hief haar wijnglas naar hem op. „Op ons. Ik vind het echt fijn dat je zo positief reageerde."

„Ik was aangenaam verrast," bekende Arnoud. „Het gebeurt me niet iedere dag dat ik fanmail krijg van aantrekkelijke vrouwen."

„Ik was doodsbang dat je me uit zou lachen."

„Waarom zou ik? Ik was eerder gevleid. Jouw berichtje sprak me heel erg aan. Ik hou wel van vrouwen die initiatief durven tonen."

„Die eigengereid zijn, bedoel je." Ze trok een gezicht. „Zo noemt mijn zus dat tenminste."

„In dat geval hou ik van eigengereide vrouwen."

Ze keken elkaar diep in de ogen en Judy bloosde. Dit ging nog veel beter dan ze gehoopt had. Er hing een onmiskenbare spanning tussen hen, tegelijkertijd voelde het heel vertrouwd om bij hem te zijn. Het was of ze elkaar herkenden, of ze op elkaar gewacht hadden. Haar eerste gevoel bij het zien van zijn foto was dus toch juist geweest. Ze kon zich niet herinneren dat ze ooit eerder zo gelukkig was geweest als op dit moment het geval was. Al haar eerdere vriendjes hadden dit gevoel niet bij haar op kunnen roepen, terwijl het Arnoud als vanzelf lukte.

Terwijl Arnoud met Judy in de Wilgenhof genoot van de exclusieve gerechten daar, zat Connie eenzaam met een boterham voor de tv. Ze had geen zin gehad om iets te eten klaar te maken voor haar alleen, dus toen de honger toesloeg smeerde ze twee boterhammen en schonk ze er een beker melk bij in. Zappend ging ze alle tv-kanalen af, maar er was weinig van haar gading bij. Uit verveling bleef ze hangen bij een praatprogramma, maar boeien deed het haar niet. Met één oog naar het scherm starend kauwde ze lusteloos haar brood weg. Het was vreemd om de avondmaaltijd zonder Arnoud te nuttigen, dat gebeurde maar hoogst zelden. Natuurlijk ondernamen ze allebei ook wel eens dingen zonder elkaar, maar niet vaak. Kennissen noemden hen wel eens een bezadigd echtpaar, zo'n stel dat niet zonder elkaar kon.

Was dat nu echt zo vreemd, vroeg Connie zichzelf af. Arnoud was haar broer en tevens haar beste vriend. Ze hadden samen de zaak opgezet en hun levens waren heel erg met elkaar verbonden. Ze kon zich voorstellen dat de meeste mensen er niet aan moesten denken om zo'n hechte relatie met een familielid te hebben, maar voor hen was het vanzelfsprekend zo gegroeid. Vroeger had ze zich hier ook niets bij voor kunnen stellen. Het ongeluk van hun ouders had echter alles veranderd. Van het ene op het andere moment waren Arnoud en zij op elkaar aangewezen geweest. Ze hadden elkaar heel hard nodig gehad toen en eigenlijk was dat nooit veranderd. Maar om hun band nou ziekelijk te noemen, wat ze ook wel eens gehoord had, vond ze overdreven. Wie deden ze er tenslotte kwaad mee? Arnoud en zij vonden het allebei prettig om in elkaars gezelschap te zijn, dus waarom zouden ze geforceerd bezig moeten zijn met het aanknopen van eigen, andere vriendschappen, alleen maar vanwege de mening van de buitenwereld? Nu merkte ze echter dat het toch wel fijn geweest zou zijn als ze vriendinnen had gehad, want zonder Arnoud kroop de avond voorbij. Haar sociale leven speelde zich echter voornamelijk af in de lunchroom, tijdens het contact met de klanten en hun medewerkers. Het contact met de vriendinnen die ze vroeger had, was verwaterd. Ze kwam net van school af toen hun ouders verongelukten en haar vriendinnen waren allemaal een andere kant uit gegaan. Dat was normaal, alleen was het er in haar geval nooit van gekomen om nieuwe vriendinnen op te doen, omdat ze alleen maar bezig was geweest met het verwerken van haar verdriet. Het had heel veel moeite gekost om haar leven weer een beetje op te bouwen. Daarna waren Arnoud en zij hun lunchroom begonnen en was er geen tijd geweest om nieuwe vriendschappen aan te knopen. In het begin, toen ze zich nog geen personeel konden veroorloven, maakten ze werkdagen van minstens twaalf uur, zes dagen per week en daar was geen enkele vriendschap tegen bestand, laat staan een liefdesrelatie.

Eindelijk, tegen half twaalf, hoorde Connie de voordeur opengaan. Nieuwsgierig keek ze op bij Arnouds binnenkomst.

„En?" vroeg ze direct. „Hoe was het?"

„Geweldig." Met een dromerige uitdrukking in zijn ogen ging Arnoud zitten. Er lag een gelukkige glans op zijn gezicht, zag Connie. Even flitste er een pijnlijke steek door haar hart. Zo te zien zou het niet bij een eenmalig afspraakje blijven, dus ze kon zich maar beter voor gaan bereiden op nog veel meer eenzame avonden.

„Judy is fantastisch," vervolgde Arnoud. „Echt Con, het was nog veel leuker dan ik had durven hopen. Ze is knap, lief, intelligent, heeft gevoel voor humor en ze barst van zelfvertrouwen."

„Je bent verliefd," constateerde Connie nuchter.

„Dat zou best wel eens kunnen, ja." Arnoud lachte. „Zomaar opeens, zonder enige voorbereiding. Hoe is het mogelijk, hè? Ik heb nog nooit eerder iemand ontmoet die ik zo leuk vind en waarbij ik me zo op mijn gemak voel. Jij zult haar ongetwijfeld ook aardig vinden. Morgenavond komt ze hierheen, want ik wil haar graag aan je voorstellen."

„Morgen al? Jullie laten er geen gras over groeien. Sinds wanneer ben jij zo doortastend? Ik kan me van je vorige vriendin nog her-inneren dat het maanden duurde voor je echt van een relatie kon spreken."

„Maar dat was Judy niet," lachte Arnoud alweer. Connie had hem nog nooit eerder zo gelukkig en ontspannen gezien.

Spontaan stond ze op en gaf hem een zoen op zijn wang. „Fijn voor je," zei ze hartelijk. „Ik hoop echt dat je heel erg gelukkig wordt met haar." Ze gunde hem het geluk oprecht, ondanks haar jaloezie. Haar laatste relatie dateerde al van jaren geleden, van voor het ongeluk zelfs. Daarna had ze wel eens een afspraakje gehad, maar het was nooit iets geworden. Andere zaken hadden haar te veel in beslag genomen. Nu ze het geluk zag dat van Arnoud afs-traalde, besefte ze dat zij dit ook wilde. Misschien moest ze ook maar eens een mailtje sturen naar een leuke man uit een tijd-schrift. Brad Pitt bijvoorbeeld, al betwijfelde ze of dat hetzelfde resultaat zou opleveren als bij Judy.

„Heb je haar verteld van ...?" Ze aarzelde voor ze verder sprak, maar Arnoud begreep meteen wat ze bedoelde.

Hij schudde zijn hoofd. „Daar is het nog veel te vroeg voor. Ik ken haar nog maar net."

„Het zou wel zo eerlijk zijn om het te bespreken voor het serieus wordt tussen jullie," vond Connie het nodig hem te waarschuwen. „Daar kun je echt niet te lang mee wachten, Arnoud."

Hij trok zijn schouders op. Ineens trok er een schaduw over zijn gezicht.

„Laat dat maar aan mij over," zei hij strak. „Ik vertel het wanneer ik de tijd daarvoor rijp vind. We hebben net één afspraakje gehad, laten we eerst maar eens afwachten hoe het zich ontwikkelt. Misschien loopt het op niets uit."

„Dat geloof je zelf niet. Ik probeer je alleen maar te helpen," zei Connie.

„Als die hulpvaardigheid zich maar niet zover uitstrekt dat jij het aan Judy vertelt," zei Arnoud met een waarschuwende klank in zijn stem. „Dat moet ik op mijn eigen manier en op mijn eigen tijd doen."

„Oké, ik zal niets zeggen," beloofde Connie. „Maar ik hoop dat het straks geen problemen tussen jullie zal veroorzaken."

Arnoud ontspande zich weer. „Ik weet wel zeker van niet," zei hij tevreden. „Dit is zoiets unieks. Het voelt alsof we voor elkaar bestemd zijn. Dat artikel in Iris was gewoon voorbestemd, Con. Het heeft zo moeten zijn om de wegen van Judy en van mij elkaar te laten kruisen. Hier kan niets meer tussen komen." Het klonk zo beslist dat Connie het niet waagde hem tegen te spreken. Dit waren ook haar zaken niet, hield ze zichzelf voor. Arnoud was een volwassen man, hij moest zelf beslissen wat hij deed.

HOOFDSTUK 4

Connie betrapte zichzelf erop dat ze tegen de kennismaking met Judy opzag. Arnoud was zo vol lof over haar dat het bijna niet anders kon of ze moest haar heel erg tegenvallen. Ze vroeg zich af wat ze moest doen als dat inderdaad zo was. De confrontatie aangaan met haar broer had in dat geval geen enkele zin, dat wist ze van tevoren. Arnoud zag momenteel alles door een roze bril, eventuele verkeerde karaktereigenschappen van Judy zou hij absoluut niet zien, laat staan erkennen. Zijn relatie met Judy betekende in ieder geval een verandering in hun hechte band. Misschien zelfs wel het einde, dacht Connie somber bij zichzelf. Ze voelde er weinig voor om er als het beruchte vijfde wiel bij te moeten hangen, dus begon het erop te lijken dat zij en Arnoud hun langste tijd samen gewoond hadden.

In de spiegel trok ze een grimas tegen zichzelf. De deurbel was al overgegaan, dus ze wist dat Judy gearriveerd was, maar ze had geen zin om onmiddellijk acte de présence te geven. Arnoud en Judy zouden haar vast niet missen, die hadden genoeg aan elkaar, dacht ze somber en jaloers. Pas toen haar haren onberispelijk om haar gezicht vielen en haar make-up perfect zat, kwam ze de badkamer uit. Ze wilde beslist niet onderdoen voor de knappe Judy, zoals Arnoud haar beschreven had.

Met een rechte rug, die haar toch al statige houding nog meer accentueerde, liep ze de woonkamer binnen. Arnoud en Judy zaten knus naast elkaar op de bank, totaal verdiep in elkaar. Judy giechelde net om iets wat Arnoud gezegd had en hij streek teder een lok haar uit haar gezicht. Ze hadden niet eens in de gaten dat Connie in de deuropening bleef staan. Pas toen ze overdreven kuchte, keken ze op.

„Ha, daar ben je," zei Arnoud opgewekt. Hij stond op en trok Judy omhoog. „Dit is ze nou, Con." Zijn stem klonk trots.

„Bezichtiging der apen," grinnikte Judy terwijl ze haar hand naar

Connie uitstak. „Judy Jacobs. Mijn vrienden noemen me JJ."

„Connie Verschuur. Dus jij bent dat meisje van die mail. Een gedurfde actie, hoor."

„Soms moet je het lot in eigen handen nemen," zei Judy luchtig, maar met een waakzame blik in haar ogen. De woorden van Connie hadden niet bewonderend geklonken, eerder minachtend. Ze had er best begrip voor dat Connie niet stond te springen van blijdschap omdat zij ineens in hun levens gekomen was, maar ze was toch niet van plan om zich door haar te laten intimideren. „Het heeft in ieder geval verrassend goed uitgepakt," voegde ze er dan ook uitdagend aan toe terwijl ze Arnouds hand vastpakte.

„Een beetje initiatief tonen kan nooit kwaad, dat blijkt wel weer," reageerde hij met een glimlach.

„Zal ik dan maar het initiatief nemen om koffie in te schenken? Jij verkeert zo in hoger sferen dat je daar blijkbaar nog niet eens aan gedacht hebt," zei Connie met een blik naar de lege salontafel.

„Zal ik je helpen?" bood Judy aan, maar Connie sloeg dat af. Ze was blij dat ze zich even in haar eentje in de keuken kon terugtrekken om de eerste indruk van Judy te verwerken. Ze vond haar sympathiek overkomen, moest ze zichzelf bekennen. Vrolijk, zelfverzekerd en niet op haar mondje gevallen. Ze zag er ook leuk uit met die paar sproeten op haar neus en die twinkelende, groene ogen. Heel iets anders dan zijzelf met haar bijna zwarte haren en de opvallende, daarbij afstekende, bleke huid. Arnoud had het slechter kunnen treffen. Als ze zich maar niet volledig tussen hen in zou dringen, peinsde Connie somber. Het jaloerse duiveltje, dat de laatste dagen vaker van zich had laten spreken, stak de kop alweer op, zeker toen ze bij terugkomst in de kamer zag dat Arnoud en Judy alweer volledig in elkaar opgingen. Haar aanwezigheid schenen ze volkomen vergeten te zijn. Weer kuchte Connie luid terwijl ze het dienblad met koffiekopjes op tafel zette.

„Leuk, die prille liefde, maar ik woon hier ook, hoor," kon ze niet nalaten te zeggen.

„Jammer," plaagde Arnoud. Het was bedoeld als grapje en Connie wist zeker dat hij er niets hatelijks mee bedoelde, toch stak het haar. Zwijgend schonk ze de koffie in de bekers.

De goede stemming wilde niet echt op gang komen. Judy was hartelijk genoeg, maar Connie bleef stug en afwerend, al kon ze geen hekel aan haar hebben. Judy had iets ontwapenends over zich, waardoor ze mensen snel voor zich innam. Ondanks Connies korte antwoorden bleef ze dan ook vrolijk doorpraten en liet ze zich niet uit het veld slaan. Ze prees de inrichting van de flat, vertelde losjes over haar werk en informeerde naar Connies hobby's.

„Ik heb heel weinig tijd voor hobby's," antwoordde die daarop. „Onze zaak slokt enorm veel tijd op. We hebben natuurlijk geen baan van negen tot vijf, vaak zijn we 's avonds bezig met achterstallige administratie of bespreken we veranderingen die we door willen voeren. Trouwens," vervolgde ze tegen Arnoud alsof het haar nu pas te binnen schoot. „Ik heb de offerte binnen van de schilder. Kijk daar straks even naar, dan kan ik morgen een afspraak met hem maken."

„Morgenochtend," zei hij. „Het is voor Judy niet zo gezellig als wij over de lunchroom gaan zitten praten."

„Ik vrees dat ze daaraan zal moeten wennen," zei Connie met een klein lachje naar Judy. „De zaak vormt nu eenmaal het belangrijkste onderdeel van ons leven. We hebben hem helemaal zelf opgebouwd, het is zo'n beetje ons kind."

„Toch is het heel gezond om daar in je vrije tijd een beetje afstand van te nemen. Gaan jullie overigens rustig je gang als dat nodig is," zei Judy kalm. Haar ogen boorden zich in die van Connie. „Misschien kan ik ook nog suggesties aandragen."

Arnouds enthousiaste „Hè ja," kwam samen met Connies stugge: „Dat denk ik niet."

Even viel er een korte stilte. „Een buitenstaander kijkt er toch anders tegenaan dan wij," vervolgde Connie toen. „Ik denk niet dat het goed is om de zaken van te veel kanten te bekijken, dat werkt alleen maar verwarrend."

„Een ander gezichtspunt kan ook verfrissend werken," sprak Arnoud dat tegen.

„Connie bedoelt eigenlijk te zeggen dat ik me er niet mee moet bemoeien," zei Judy. „En gelijk heeft ze. Ik heb ook totaal niets met jullie lunchroom te maken, dat is jullie zaak." Ze knikte Connie hartelijk toe en die had de betamelijkheid om te blozen.

„Zo bedoelde ik het niet," mompelde ze.

„O jawel, maar dat geeft niets. Je hebt gelijk, alleen kun je niet verwachten dat ik er als zwijgende derde bij ga zitten als jullie over de lunchroom praten. Onwillekeurig ga ik dan toch meedoen met de conversatie."

„Dus laten we de lunchroom vanavond voor wat hij is en praten we ergens anders over," besloot Arnoud.

„Ik ga nog iets te drinken inschenken," zei Connie terwijl ze opstond. Ze had het gevoel dat ze deze slag verloren had. Judy was iemand om rekening mee te houden, dat bleek wel. Heel kalm en overwogen had ze voorkomen dat Arnoud en Connie over hun werk zouden gaan debatteren en dat zij er dan voor spek en bonen bij zou komen te zitten, wat eigenlijk stiekem wel Connies bedoeling was geweest.

Ze had Arnoud eventjes fijntjes willen herinneren aan het feit dat hij met haar, Connie, iets heel belangrijks had waar Judy buiten stond en tegelijkertijd had ze naar Judy toe de onverbrekelijke band tussen Arnoud en haar willen benadrukken. Judy had haar echter direct alle wapens uit handen geslagen en wel op zo'n manier dat ze er niet eens iets van kon zeggen. Diep in haar hart moest ze bekennen dat ze wel waardering had voor de manier waarop Judy dit had aangepakt. Ze liet zich in ieder geval niet in een hoekje dringen en eiste haar eigen plaats op. Kalm, maar onverzettelijk.

Dat Judy heel goed door had waar Connie mee bezig was geweest, bewees ze even later, toen Arnoud zich excuseerde om naar het toilet te gaan.

„Ik hoop niet dat je denkt dat ik me tussen Arnoud en jou in wil dringen," zei ze rechtstreeks, nog voor hij de kamerdeur goed en wel achter zich gesloten had. „Ik weet hoe sterk jullie band is en die wil ik zeker niet verbreken."

Connie bloosde tot achter haar oren. „Dat dacht ik helemaal niet," zei ze afwerend.

„Jawel. Je bedoeling daarnet was overduidelijk." Judy grinnikte. „Ik ben heel erg gek op Arnoud," vervolgde ze toen serieus. „Het laatste wat ik wil is hem dwingen te kiezen tussen mij en zijn zus. Ik vrees trouwens dat ik dan het onderspit zou delven, want jij bent alles voor hem. Ik hoop dat wij vriendinnen kunnen worden, Connie. We houden allebei van Arnoud, hij moet geen inzet worden van een nutteloze en totaal overbodige strijd."

„Ik voel me wel een beetje in een hoek gedrongen ineens," bekende Connie eerlijk. Ze kon niet anders. Judy was zo openhartig en onbevangen. „Jarenlang hebben we alles samen gedaan en nu kom jij zomaar *out of the blue* zijn leven binnenwandelen."

„Je bent jaloers," constateerde Judy.

„Ik ben bang van wel, ja." Connie zuchtte.

Judy schoot in een heldere lach. „Je bent in ieder geval eerlijk, dat mag ik wel. Probeer het van de positieve kant te bekijken. Je raakt je broer niet kwijt, maar je krijgt er een zus bij. Of tenminste een vriendin. Scheelt dat?"

Connie keek in de sprankelende ogen van de vrouw tegenover haar en kon niet anders doen dan meelachen. Ze kon onmogelijk een hekel hebben aan deze Judy. Net als Arnoud viel ze als een blok voor deze levendige persoonlijkheid, al was het dan op een andere manier. Spontaan stak ze haar hand naar haar uit. „Ik geloof dat ik jou wel mag."

„Wederzijds. Hè gelukkig, dat is een pak van mijn hart. Nadat ik Arnoud dat mailtje had gestuurd begon het tot me door te dringen dat ik ook te maken zou krijgen met zijn zus. De meest gru-welijke voorstellingen had ik me daarvan gemaakt en even leek je dat beeld te bevestigen. Ik ben blij dat het meevalt," lachte Judy.

Arnoud keek verrast op bij zijn terugkomst in de kamer. De gespannen sfeer die de hele avond op de loer had gelegen, was ineens verdwenen en zijn zus en zijn vriendin zaten met elkaar te kletsen en te lachen alsof ze elkaar al jaren kenden en de beste vriendinnen waren. Hij had geen idee hoe dat zo plotseling kon, maar hij was er wel blij mee. Connie was té belangrijk voor hem om zomaar opzij te schuiven, terwijl Judy zijn hart had gestolen. Voor hem was het dan ook van het grootste belang dat de twee vrouwen goed met elkaar op konden schieten en die wens leek vervuld te worden.

„Wat vind je van haar?" was zijn eerste vraag nadat hij later die avond afscheid van Judy had genomen.

„Ik denk dat jullie samen heel gelukkig worden," antwoordde Connie warm. Ze was blij dat ze dat oprecht kon zeggen, vooral toen het gezicht van Arnoud oplichtte.

„Ja hè?" zei hij gretig. „Ik wist wel dat jij haar ook zou mogen, al zag het daar aan het begin van de avond niet naar uit. Wat is er gezegd toen ik op het toilet zat?"

„Niet veel bijzonders," ontweek Connie. Ze begon druk heen en weer te lopen met de glazen en de schaaltjes.

„Er moet iets gebeurd zijn," hield Arnoud vol. „Het ene moment was je enorm afstandelijk en het volgende moment leken jullie wel de beste vriendinnen. Dat gaat niet zomaar."

„We hebben gewoon allebei eerlijk verteld hoe we ons voelden ten opzichte van elkaar."

„Je voelde je bedreigd door Judy," begreep Arnoud. Hij kneep even zachtjes in haar schouder. „Dat is toch nergens voor nodig, gekkie. Jij zult altijd de belangrijkste vrouw in mijn leven blijven." Dat laatste klonk plagend.

„Daar zal Judy blij mee zijn, ik kan niet wachten om haar dit te vertellen," pestte Connie hem terug voor ze zich terugtrok in haar eigen kamer.

Het was een vreemde, enerverende avond geweest, toch sliep ze zodra haar hoofd haar kussen raakte, in het veilige besef dat er tussen Arnoud en haar niets zou veranderen. Judy was erbij gekomen, niet in plaats van. Het was fijn geweest om Arnoud zo onbezorgd gelukkig te zien. Het enige wat Connie nog bewust dacht voor ze wegzonk in een diepe slaap, was dat zij dat ook wilde. Gewoon simpelweg gelukkig zijn met iemand van wie je hield.

Het was druk in de lunchroom. Talloze vrouwen, meestal in het bezit van enorme, uitpuilende tassen, bevolkten de tafeltjes. Kelly en Mariska liepen druk af en aan met volle dienbladen terwijl Connie achter de counter de bestellingen klaarmaakte. Het was drie uur 's middags en gek genoeg was dat meestal de drukste tijd van de dag. Tijdens de lunch zaten ze ook altijd vol, maar de klanten bleven dan langer zitten. Om deze tijd schoten de meeste klanten, voornamelijk vrouwen, nog even snel binnen voor een kop koffie of iets fris na hun winkeltocht. De mensen wisselden elkaar dan in hoog tempo af, zodat het altijd hard doorwerken was om iedereen vlot te bedienen en te zorgen dat de tafeltjes zo snel mogelijk opgeruimd werden voor nieuwe klanten zich aandienden. Dat was een van Connies stokpaardjes, direct achter de klant de tafel afruimen en schoonmaken. Ze vond niets zo vervelend als een onbezette tafel vol met serviesgoed, servetjes en een volle asbak. Dat stond zo slordig en ongastvrij. Vanachter de counter hield ze dan ook met argusogen in de gaten of haar medewerksters hun taken goed uitvoerden terwijl haar handen voortdurend bezig waren. Dat was haar sterkste punt. Hoewel ze zelf net zo hard meewerkte, ontging haar niets.

„Twee koffie, een appelpunt en een slagroomsoes voor tafel vier," bestelde Kelly. Ze legde het bonnetje op de counter en haastte zich naar het volgende tafeltje om daar de bestelling op te nemen voor ze het gevraagde weer kwam halen. „Een warme chocomel, een cola en twee saucijzenbroodjes voor tafel drie. Wauw, kijk eens wat daar binnenkomt. Die wil ik ook wel graag bedienen," zei ze met een knipoog.

Automatisch gleden Connies ogen naar de deur, waar een lange, brede, knappe man zoekend om zich heen keek. Haar hart sloeg een slag over en haar adem stokte in haar keel. Ongelovig nam ze hem nu bewust op. Was dat werkelijk Jerry Dijkman, haar vroegere vriendje? Op zijn zestiende had hij een beugel en een bril gedragen en zijn blonde haren, die nu in een kort, modern kapsel waren geknipt, hadden toen voortdurend voor zijn ogen gehangen. Ondanks dat was ze hevig verliefd op hem geweest, herinnerde ze zich met een glimlach. Jerry was de eerste jongen geweest met wie ze echt gezoend had, achter de fietsenstalling op het schoolplein. Hij had haar hart gebroken toen hij het had uitgemaakt omdat hij verliefd was geworden op haar beste vriendin. Een half jaar daarna hadden ze eindexamen gedaan, waarna ze elkaar uit het oog verloren waren. Ze had trouwens helemaal geen contact meer met vrienden en vriendinnen uit die tijd. Vreemd, als je bedacht dat ze jarenlang met elkaar opgetrokken waren en lief en leed samen hadden gedeeld.

De man had haar nu ook ontdekt en met een brede glimlach kwam hij naar haar toe.

„Connie Verschuur," riep hij halverwege de zaak al, zodat verschillende klanten nieuwsgierig hun kant opkeken. „Wat leuk om jou weer te zien!" Voordat Connie het kon voorkomen stond hij al achter de counter en hartelijk zoende hij haar op haar wangen. Met zijn handen op haar schouders nam hij haar daarna van top tot teen op. „Je ziet er goed uit," complimenteerde hij.

„Dank je, dat is trouwens wederzijds," mompelde Connie van haar stuk gebracht. „Waar zijn je bril en beugel gebleven?"

„Help me daar alsjeblieft niet aan herinneren," zei hij met een brede grijns. „Ik schrik me nog iedere keer een ongeluk als ik foto's uit die tijd terugzie. Niet te geloven dat ik toch zo'n leuk vriendinnetje als jjij kon krijgen."

„Niet alleen mij. Je had steeds een ander meisje in die tijd, al wilde ik toen graag geloven dat ik de laatste zou zijn. Helaas ging je er vandoor met Christel, mijn vriendin."

„Het stomste wat ik ooit had kunnen doen," zei Jerry berouwvol, maar met een lach in zijn stem. „Ik zie daar een leeg tafeltje, zullen we iets gaan drinken om bij te kletsen?"

„Geen tijd," antwoordde Connie spijtig. „Zoals je ziet is het razend druk. Over een uurtje zal de ergste drukte wel voorbij zijn en kan ik even pauze nemen. Heb je tijd om daarop te wachten?"

„Natuurlijk. Ik ben speciaal hierheen gekomen om jou te zien, dus ik laat me nu echt niet weerhouden door een beetje drukte. Geef me maar een kop koffie, dan wacht ik wel tot je tijd hebt om bij me aan te schuiven," zei Jerry opgewekt.

„Hoe bedoel je?" vroeg Connie terwijl ze koffie voor hem inschonk. „Wist je dan dat ik hier zou zijn?"

Jerry knikte bevestigend. „Ik las over jou en Arnoud in een tijdschrift van mijn moeder en ik herkende je direct. Het leek me leuk om je eens op te zoeken. Eigenlijk is het heel raar dat we elkaar nooit meer gezien hebben na onze schooltijd."

„Dat heb ik ook net bedacht, ja. Sorry, ik moet nu echt verder voor de klanten hun geduld verliezen." Connie overhandigde hem zijn kopje en wendde zich weer tot Kelly en Mariska, die allebei stonden te wachten op hun bestelling.

„Een oude vlam?" informeerde Kelly.

„Mijn eerste vriendje," antwoordde Connie met een glimlach. Onwillekeurig keek ze zijn richting op en hij knipoogde naar haar. Blozend toog ze weer aan het werk. Het duurde ruim drie kwartier voor het zo rustig werd dat ze even gemist kon worden en al die tijd was ze zich bewust van zijn blik. Het maakte haar nerveus en onrustig. Ze had al drie keer iets uit haar handen laten vallen en twee keer een verkeerde bestelling klaargemaakt. Ze was dan ook blij toen ze haar werkzaamheden even kon staken. Met nog een kop koffie voor hem en een beker thee voor zichzelf ging ze bij hem aan het tafeltje zitten.

„Dat is lang geleden," zei ze weinig origineel.

„Acht jaar," knikte Jerry. „Ik wist niet wat ik zag toen ik dat artikel onder ogen kreeg. Het spijt me van jullie ouders, dat heb ik nooit geweten. Je moet een hele moeilijke tijd gehad hebben."

„Het was een nachtmerrie. Arnoud en ik zijn echt door een hel gegaan toen. Gelukkig hadden we elkaar. We hebben ons toen echt aan elkaar vastgeklampt en daaruit voortvloeiend zijn we deze zaak begonnen."

„Een succes, zo te zien. Ik kende deze zaak wel, maar ik heb nooit geweten dat hij van jullie was. Anders was ik al veel eerder een keer binnengekomen. Ik vind het echt leuk om je weer te zien." Hij pakte haar handen vast en knikte haar warm toe, een gebaar dat Connies maag deed buitelen. Jerry had nog steeds hetzelfde effect op haar als acht jaar geleden.

„Als je het zo leuk vindt, moeten we er deze keer maar voor zorgen dat het contact niet verwatert," waagde ze te zeggen. „Wat denk je ervan om samen eens uit te gaan?"

Met wild kloppend hart wachtte ze op zijn antwoord, met alles wat in haar was hopend dat hij positief zou reageren.

„Dat lijkt me enorm gezellig," zei hij tot haar grote opluchting, die ze gelukkig wist te verbergen. „Mits je niet ergens een echtgenoot of een vriend hebt zitten."

„In dat geval zou ik je nooit zo'n voorstel doen."

„Mooi." Hij glimlachte, wat zijn knappe gezicht nog onweerstaanbaarder maakte. „Dan is er niets wat ons tegenhoudt. Wat denk je van vanavond?"

Connie keek in zijn blauwe ogen en voelde zich smelten. „Dat lijkt me een uitstekend idee," bracht ze hees uit.

HOOFDSTUK 5

„Je gaat wat?" vroeg Arnoud. Hij keek zijn zus verbaasd aan.

„Ik ga vanavond op stap met Jerry," herhaalde ze. „Je kent hem vast nog wel van vroeger."

„Ik weet dat hij je heeft laten zitten voor een ander, ja," bromde Arnoud.

Connie en Judy, die tegenwoordig vaak bij hen op de flat was en meestal 's avonds met hen meeat, lachten hem hartelijk uit.

„Kijk, de nobele ridder, beschermheer van het zwakke vrouwvolk," lachte Judy terwijl ze hem plagend door zijn haren streek. „Connie is je kleine zusje niet meer, hoor."

„Connie zal altijd mijn kleine zusje blijven," sprak hij dat tegen.

„Maar Connie is inmiddels wel volwassen," zei Connie gevat. „We waren zestien en zeventien indertijd, neem je het hem nou echt kwalijk dat hij toen onze verkering verbrak?"

„Een vos verliest wel zijn haren, maar niet zijn streken," meende Arnoud.

Weer volgde er een lachbui van zijn zus en zijn vriendin.

„Hij zal het nooit kunnen laten, Con," zei Judy tegen Connie, op een toon alsof Arnoud er niet bij zat. „De rest van je leven zal je achtervolgd worden door je broer, die meent je te moeten beschermen tegen het kwaad van de wereld."

„Dat heeft anders zo zijn voordelen," zei Connie met een glimlach. Ze knipoogde naar Arnoud, die er met een nors gezicht bij zat. „Zolang hij zich maar niet met mijn liefdesleven bemoeit."

„Ik vrees het ergste," giechelde Judy.

„Het is toch niet zo gek dat ik mijn bedenkingen heb?" verdedigde Arnoud zich. „Je was vroeger hevig verliefd op die knul en hij liet je gewoon barsten."

„Toen maakte jij je daar anders ook niet druk om," hielp Connie hem fijntjes herinneren. „Je was alleen maar kwaad omdat ik 's avonds begon te huilen terwijl er een voetbalwedstrijd op tv was.

Je verzocht me vriendelijk de kamer te verlaten omdat je het commentaar zo niet kon horen, dat weet ik nog goed."

„Nou ja, ik was zelf net achttien en met verliefdheden hield ik me niet bezig."

„En Jerry was zeventien en stond stijf van de hormonen die door zijn lichaam gierden. Hij had toen om de haverklap een ander meisje. Ik was net zestien geworden en was ervan overtuigd dat ik met Jerry zou trouwen. Mijn hart brak toen het uitging en ik wist zeker dat ik nooit meer op een ander verliefd zou kunnen worden," zei Connie lachend. „Met andere woorden, we zijn allemaal opgegroeid en wijzer geworden. Ik vond het hartstikke leuk dat Jerry ineens voor me stond."

„Ben je nog steeds verliefd op hem?" wilde Judy nieuwsgierig weten.

„Nou, hij deed me wel wat," vertelde Connie openhartig. „Ik wil absoluut niet beweren dat ik hem nooit vergeten ben, want ik heb al jaren niet meer aan hem gedacht, maar toen hij ineens de zaak binnenwandelde vanmiddag herinnerde ik me alles meteen weer. We hebben een leuke tijd gehad toen. Hij was echt mijn eerste, grote liefde."

„Misschien ook wel je laatste," fantaseerde Judy. „Als het nu weer wat wordt tussen jullie. Romantisch."

„Zeg, doe even normaal," verzocht Arnoud stekelig. „Ze gaan een avondje uit, meer niet. Ze kent hem amper."

„Dat is waar. En het is heel belangrijk dat je iemand eerst goed leert kennen en daar de tijd voor neemt voor je samen iets begint," knikte Connie met een ernstig gezicht, maar met een lach in haar ogen. „Hoelang hebben jij en Judy daar ook alweer over gedaan?"

„Zeur niet en ga je omkleden, anders moet die arme jongen straks een uur op je wachten," bromde Arnoud, die wist dat hij verslagen was.

Tegen die vrouwen kon hij niet op, dacht hij met een zucht. Judy en Connie waren de laatste weken dikke vriendinnen geworden en hoewel hij daar erg blij om was had het ook zo zijn nadelen. Wat dat betrof was het misschien wel prettig als Connie ook een vriend had, zodat hij wat versterking kreeg. Alleen jammer dat het nou net die Jerry moest zijn. Arnoud had nooit een echt goede indruk gekregen van die jongen, al moest hij toegeven dat hij zich vroeger niet bijster geïnteresseerd had voor de vriendjes van zijn zus. Hij herinnerde zich hem als een ietwat sullige jongen, die er ondanks zijn niet bepaald florissante uiterlijk in geslaagd was de meisjes voor zich te winnen. Hij zag eruit als een nerd, maar gedroeg zich als een playboy, wist Arnoud nog. Hij gunde zijn zus wel iets beters.

Wat uiterlijk betrof was Jerry in ieder geval heel erg veranderd, moest hij even later constateren. Hij herkende de man die voor de deur stond zelfs niet meteen. Pas toen Jerry stevig zijn hand drukte en 'Ha Arnoud' zei, wist hij wie hij voor zich had.

„Kom binnen," zei hij. „Connie zal zo wel klaar zijn, die was zich nog aan het optutten."

„Ik had ook geen moment verwacht dat ze op het afgesproken tijdstip klaar zou staan, dat lukte haar vroeger al niet," grijnsde Jerry. Vlot maakte hij kennis met Judy en als vanzelfsprekend nam hij plaats op de bank. Hij scheen zich totaal niet ongemakkelijk te voelen in deze voor hem vreemde omgeving. In stilte bewonderde Arnoud dat. Zelf was hij heel anders. Bij mensen die hij niet kende gedroeg hij zich vaak onzeker en zelfs wat schutterig, maar daar had deze Jerry duidelijk geen last van. Al snel zaten ze met zijn drieën gezellig te praten, tot Connie de kamer binnenkwam.

„Drinken jullie nog wat of gaan jullie meteen weg?" informeerde Arnoud.

Jerry keek Connie vragend aan. „Vind je het erg om nog even hier te blijven? Ik vind het wel interessant wat Arnoud allemaal over jullie lunchroom vertelt. Als leek heb je geen idee wat er allemaal bij komt kijken om zo'n zaak op te starten, daar wil ik best meer van weten."

„Ik heb geen haast," zei Connie luchtig, hoewel ze zich onverklaarbaar teleurgesteld voelde. Eigenlijk kon ze niet wachten om Jerry voor zich alleen te hebben, al vond ze het wel fijn dat Jerry en Arnoud meteen zo goed met elkaar overweg konden. Na Arnouds gemopper aan het begin van de avond had ze dat niet verwacht. Hij had haar zelfs heel even aan het twijfelen gebracht, maar nu ze Jerry weer terugzag begonnen de verliefde kriebels zich onmiddellijk weer te roeren. Net als vroeger.

„Wat doe jij eigenlijk?" wilde Judy weten.

„Ik ben autoverkoper," antwoordde Jerry.

„Aha, vandaar die vlotte babbel," grijnsde ze met een knipoogje naar Connie.

Jerry lachte zelfverzekerd terug. „Dat komt in mijn werk heel goed van pas, ja," gaf hij toe. „Eigenlijk zit ik nooit om gespreksstof verlegen."

„Dat was vroeger al zo," wist Connie nog. „Je moeder riep nog eens dat ze zich op het consultatiebureau vast vergist hadden en dat ze je ingeënt hadden met een grammofoonnaald in plaats van met een injectienaald."

„Maar ze mist het enorm nu ik niet meer thuis woon. Het huis schijnt akelig stil te zijn na mijn vertrek."

„Stil oké, maar akelig? Dat kan ik me niet echt voorstellen," plaagde Judy terwijl ze een drankje aannam van Arnoud.

De twee mannen namen meteen de draad van hun gesprek weer op en verdiepten zich in de voor- en nadelen van een eigen zaak.

„Leuke vent," zei Judy zachtjes tegen Connie.

„Ja hè?" straalde die. „Eigenlijk had ik nooit meer aan hem gedacht, maar toen ik hem vanmiddag zag herinnerde ik me meteen alles weer. Ik was straalverliefd op hem."

„Was of ben?" informeerde Judy schalks.

Connie wierp een blik op Jerry, die aandachtig naar Arnouds uiteenzetting luisterde. Ondanks dat leek hij te voelen dat ze zijn kant opkeek en hij knikte haar even warm toe. De haartjes op haar onderarmen gingen meteen rechtovereind staan.

„Ben," gaf ze toe.

„Dat dacht ik al. En terecht, hij mag er zijn."

„Afblijven hè," waarschuwde Connie lachend.

„Nou." Judy rolde theatraal met haar ogen. „Het is dat ik Arnoud al heb, maar anders ..."

Connie gaf haar een duw, waardoor Judy, die net naar voren boog om haar glas van tafel te pakken, haar evenwicht verloor en van de bank afgleed. Slap van het lachen bleef ze op de grond zitten. „Oké, ik vat de hint, ik blijf eraf," gierde ze.

Jerry en Arnoud keken niet-begrijpend toe, tot Arnoud zijn schouders ophaalde. „Vrouwenpraat," meende hij nuchter.

Connie lachte tot de tranen over haar wangen rolden. Het was lang geleden dat ze zo'n plezier had gehad. Eigenlijk was dat sinds haar schooltijd niet meer voorgekomen. Oeverloos lachen om niets was iets wat je met vriendinnen deed en die had ze al jaren niet gehad. Tot Judy in hun leven verschenen was. In haar had Connie weer een echte vriendin gevonden en dat was iets waar ze iedere dag dankbaar voor was. Ze had Arnoud dan ook bezworen dat hij het nooit uit mocht maken met haar en hij had daarop slachtofferig gezegd dat hij zich wel op zou offeren voor zijn zusje en voor haar, alleen voor haar, zijn leven met Judy zou blijven delen. Als het nu met Jerry ook iets zou worden, zou haar leven helemaal perfect zijn, dacht Connie blij. Dan ontbrak er niets meer aan. Het zou natuurlijk meer dan fantastisch zijn als zij en Arnoud allebei een partner hadden die het onderling ook goed konden vinden, zodat hun hechte band niet zou lijden onder de beide relaties.

Ze hadden het zo gezellig met zijn vieren dat Connie zelfs heel even teleurgesteld was toen Jerry om kwart over tien opstond en vroeg of ze meeging. Die teleurstelling veranderde echter in opwinding bij de blik die hij haar toewierp. Haastig kwam ze overeind.

„Waar gaan we eigenlijk naar toe?" vroeg ze buiten.

„Een vriend van me geeft een feestje. Als jij het ook goedvindt wilde ik daar even langsgaan. Daarna kunnen we ergens nog wat gaan drinken of zo." Jerry sloeg zijn arm Connies schouder en leidde haar mee naar zijn wagen. Ze huiverde onder zijn aanraking. Het was al heel lang geleden dat ze dergelijke gevoelens had gehad.

Vanuit het huis waar hij even later voor parkeerde kwamen de harde muziek en het geroezemoes van stemmen hun al tegemoet. Een vrouwenstem schoot hoog uit en uit één van de open ramen hoorde Connie bulderend gelach, daarna klonk het geluid van vallend glas op een harde vloer.

„Hm, het gaat er niet erg rustig aan toe. Zullen de buren leuk vinden," zei Connie. Ze hoorde zelf hoe truttig het klonk en kon het puntje van haar tong wel afbijten. Waarom zei ze nou zoiets slooms? Jerry moest haar wel een ontzettende burgertrut vinden.

„Danny nodigt zijn buren altijd uit voor zijn beruchte feestjes, dus die klagen niet," grinnikte Jerry. Weer gleed zijn arm om haar schouder. „Ik meen uit jouw woorden te begrijpen dat je niet zo'n fuifnummer bent. Als je hier geen zin in hebt moet je het eerlijk zeggen."

„Ach nee, laten we maar naar binnen gaan," zei Connie haastig, hoewel ze talloze plekken kon bedenken waar ze liever wilde zijn. Ze was inderdaad niet zo'n feestganger, maar wilde dat voor geen prijs bekennen.

„We blijven maar een uurtje," beloofde Jerry haar. „Danny is vandaag dertig geworden, vandaar. Ik wil niet zomaar wegblijven, hoewel ik liever ergens met jou alleen zou zijn."

Die laatste opmerking verzoende Connie volledig met de situatie. Ze liet zich voorstellen aan mensen wier naam ze onmiddellijk weer vergat en kreeg een glas in haar handen gedrukt waar een vreemdkleurige vloeistof in zat.

„Heb ik zelf gemixt," riep een blonde vrouw boven de harde

muziek uit. „Trek niet zo'n vies gezicht, het smaakt heerlijk."

„Dat is waar," zei Jerry in haar oor. „Kate maakt de heerlijkste brouwsels."

Heel voorzichtig nipte Connie aan het glas. Dit was inderdaad erg lekker, ontdekte ze. Het smaakte licht en fruitig, al zat er waarschijnlijk meer alcohol in dan ze normaal gesproken in een maand dronk.

„Neem jij niet?" vroeg ze met een blik naar zijn glas cola.

Jerry schudde zijn hoofd. „Alcohol heeft een rare uitwerking op me," beweerde hij met een serieus gezicht. „Ik ga er vreemde dingen van doen."

„Misschien vind ik dat helemaal niet erg," giechelde Connie. Ze begon na een paar slokken al aardig licht in haar hoofd te worden.

„Het lijkt me toch beter van niet. Ik wil mijn hoofd er graag bij houden."

„Waarbij?" Flirterig keek ze hem aan. De blonde Kate vulde haar glas nog een keer bij en opnieuw nam Connie een grote slok. De alcohol verwarmde haar en ze voelde haar remmingen van zich afglijden.

„Bij alles wat ik vanavond nog van plan ben," antwoordde Jerry met een glimlach. Hij keek haar daarbij diep in de ogen en Connie voelde haar hart een paar slagen overslaan. Haar hoofdhuid tintelde en alle zintuigen in haar lichaam leken op scherp te staan opeens.

„In dat geval kun je beter nuchter blijven, ja," bracht ze hees uit, zonder haar blik van hem af te wenden.

„Waarschijnlijk is het ook beter als jij je tempo een beetje aanpast." Voorzichtig nam hij het glas uit haar hand en zette het op een tafeltje net buiten haar bereik. „In ieder geval gezelliger. Kom, dan gaan we dansen."

Hij trok haar mee de geïmproviseerde dansvloer op en trok haar in zijn armen. Tijdens de langzame dans waren zijn handen overal op haar lichaam terwijl zijn mond haar wang beroerde. Connie voelde zich licht, vrolijk en gelukkig. Dit was eigenlijk helemaal niets voor haar, maar dat telde op dat moment niet. Haar verliefdheid in combinatie met de alcohol maakte haar overmoedig. De seksuele spanning tussen Jerry en haar was bijna tastbaar.

„Laten we weggaan," fluisterde hij hees in haar oor. „Mijn flat is hier vlakbij. Ik wil alleen zijn met je."

Willoos liet ze zich meevoeren richting buitendeur. Ze wist wat er ging komen en verlangde daar ook naar. Wat Jerry in haar losmaakte kon ze zelf niet eens benoemen, ze wist alleen dat haar lichaam schreeuwde om meer.

„Jullie knijpen er toch niet stiekem tussenuit, hè?" Danny, het feestvarken van die avond, stond ineens grijzend voor hen. Het glas bier in zijn handen was duidelijk niet zijn eerste. Enigszins wankel op zijn benen versperde hij hen de doorgang.

„Laat ze gaan, Danny, ze hebben iets beters te doen." Een eveneens niet meer zo nuchtere Kate trok haar man aan zijn arm weg. Ze giechelde overdreven en gaf Jerry een vette knipoog. „Veel plezier, hoor," riep ze hen dubbelzinnig na.

Jerry gooide de huisdeur met een klap achter zich dicht. „Sorry," zei hij grimmig. De tere stemming tussen hen was ineens verbroken. Wat daarnet nog zo goed en vanzelfsprekend had aangevoeld, was nu gedegradeerd tot iets laags, iets smerigs.

„Daar kun jij niets aan doen," meende Connie. „Het is alleen ..." Ze stokte en huiverde in de koude avondlucht.

„Het lijkt ineens niet meer zo'n goed idee, hè?" begreep Jerry. „Ik had je ook niet mee moeten nemen, jij past hier niet."

„Ik ben een saaie burgertrut," begreep Connie beledigd.

Zijn lach schalde door de stille straat. „Dat zou ik nooit durven zeggen. Je hoeft jezelf niet naar beneden te halen omdat je geen liefhebber bent van slemppartijen. Zelf voel ik me daar ook nooit zo in thuis, daarom ga ik altijd maar even. Tegen de tijd dat ze allemaal dronken worden ga ik meestal weg."

„Drink jij helemaal nooit?" vroeg Connie in de beslotenheid van de auto. In hun flat, aan het begin van de avond, had Jerry ook om cola gevraagd terwijl zij, Arnoud en Judy wijn hadden gedronken, herinnerde ze zich.

„Vrijwel nooit. Wat ik net zei, dat alcohol een rare uitwerking op me heeft, was geen grapje," antwoordde hij ernstig. „Twee of drie glazen kan ik nog wel aan, maar als ik meer drink weet ik niet meer wat ik doe. De keren dat me dat is overkomen waren geen prettige ervaringen. Bovendien heb ik de dag erna altijd heel veel last van de kater en dat is het me niet waard."

„Mij ook niet," was Connie het met hem eens. „Ik hou van een glaasje op zijn tijd, maar de hoofdpijn de dag erna vind ik een verschrikking."

„Dus er staat je wat te wachten morgen," plaagde Jerry. Hij stopte voor een rood verkeerslicht en keek haar van opzij aan. „Want volgens mij begon je al aardig boven je theewater te raken."

„Ik weet nog heel goed wat ik doe, hoor."

„Echt waar?"

„Zeker weten."

„Dus ik kan niet stiekem misbruik van je maken?" De blik in zijn ogen deed haar opwinding, die weggeëbd was, weer in volle hevigheid toenemen.

„Je kunt het in ieder geval wel proberen," zei ze hees. Verlegen, ze was nooit zo vrij in dat soort dingen, legde ze een hand op zijn dijbeen. Haar wangen kleurden rood en ze durfde hem niet goed aan te kijken.

Het licht sprong op groen, maar dat hadden ze allebei niet in de gaten. Heel langzaam boog Jerry zich naar haar toe en ze wachtte ademloos op zijn kus, die stevig, maar ook verrassend teder was. Haar hele lichaam reageerde erop. Een wild getoeter achter hen verbrak de betovering van dat moment.

„Het zit ons vanavond niet mee," mompelde Jerry terwijl hij snel optrok.

„Des te meer reden om nu naar jouw flat te rijden, zodat we niet meer gestoord worden," waagde Connie te zeggen. Ze genoot van het gevoel in haar lichaam. De opwinding, de spanning, het bloed dat door haar aderen joeg. Het verlangen naar de man naast haar had fors toegeslagen bij haar en verdrong al haar bedenkingen. Ze wilde gewoon genieten van alles wat haar overkwam. Dromerig leunde ze achterover terwijl Jerry de auto door het verkeer heen laveerde. Binnen tien minuten arriveerden ze bij zijn flat, wat een weidse benaming was voor de twee kleine kamers, het minikeukentje en de kleine betegelde ruimte waar zowel de douche als het toilet in geplaatst waren. Dat was echter het laatste waar Connie oog voor had. Het enige wat zij zag was Jerry's gespierde lichaam, zijn blauwe ogen en zijn brede lach. Nog voor zijn buitendeur goed en wel achter hen dichtgevallen was, sloten zijn lippen zich al over de hare heen en Connie liet zich meeslepen in een draaikolk van emoties. Ze kreunde toen zijn hand onder haar trui verdween en haar blote huid aanraakte.

„Je blijft toch wel de hele nacht?" fluisterde Jerry. „Ik wil je tegen me aan voelen als ik slaap en ik wil morgenochtend naast je wakker worden."

„Niets liever dan dat," verzekerde Connie hem, dronken van geluk. „Maar dan moet ik even Arnoud bellen dat ik niet thuiskom."

Jerry trok verbaasd zijn wenkbrauwen op. „Arnoud bellen?" herhaalde hij. „Sorry hoor, maar ik dacht dat je meerderjarig was. Moet hij toestemming geven?"

„Nee, gek." Connie schoot in de lach. „Maar dan kan hij er rekening mee houden, anders doet hij de knip niet op de deur en laat hij het licht in de hal branden. Trouwens, we wonen samen, dus dan hou je rekening met elkaar in dat soort dingen. Ik wil niet dat hij ongerust wordt."

„Hij is je broer maar, ik vind dit lichtelijk overdreven."

„Ik niet." Connie duwde Jerry tegen de muur en smoorde zijn protesten met een kus. „Dus je kunt kiezen. Of ik bel even op, of ik ga naar huis." Het klonk plagend, toch kreeg Jerry de indruk dat ze geen grapje maakte. Lachend overhandigde hij haar meteen zijn telefoon.

„Dat risico wil ik natuurlijk niet nemen. Schiet je wel op? Ik wil je heel graag de rest van mijn huis laten zien," zei hij betekenisvol.

„Ik kan niet wachten," mompelde Connie terwijl ze het nummer van Arnouds mobiel intoetste. Ook dit klonk plagend, maar deze keer kwamen de woorden recht uit haar hart.

HOOFDSTUK 6

Arnoud en Judy, die eigenlijk van plan waren geweest om te gaan stappen, bleven uiteindelijk gezellig thuis. Buiten was het koud en regenachtig, binnen warm en gezellig. Ze hadden allebei geen zin meer om weg te gaan nadat Jerry en Connie waren vertrokken. Arnoud maakte wat lekkere hapjes klaar en Judy zocht een leuke dvd uit. Met de armen om elkaar heen en het blad met hapjes binnen handbereik, kropen ze lekker op de bank om de film te bekijken. Er werd niet veel gesproken, maar de sfeer tussen hen was goed. Voor het eerst sinds jaren voelde Judy zich echt veilig en vertrouwd bij een man. Ze kenden elkaar pas een paar weken, toch wist ze heel zeker dat het goed zat tussen hen, dat dit iets blijvends was. Dat had ze al meteen voorvoeld bij het zien van zijn foto en dat gevoel had haar dus niet bedrogen, dacht ze tevreden. Na een aantal teleurstellingen op het gebied van de liefde, was Arnoud het helemaal voor haar. Tussen het volgen van de film door keek ze steeds even tersluiks naar hem en iedere keer als ze dat deed trok er een warm gevoel door haar lichaam heen. Ze was volmaakt gelukkig zo. Hoe graag ze Connie ook mocht, ze vond het prettig dat ze er eens een avondje niet bij was. Arnoud en Connie zaten aan elkaar gebakken als kaas en ham tussen een tosti, had ze wel eens opgemerkt. Zelf vonden ze dat heel normaal, maar haar benauwde het wel eens. De band tussen broer en zus vond ze eerlijk gezegd een beetje ziekelijke, al zou ze zoiets nooit hardop durven zeggen. Als ze bij Arnoud was, was Connie er altijd bij. Logisch, want ze woonde hier nu eenmaal, maar Arnoud wilde ook niet met haar op zijn eigen kamer gaan zitten als Connie thuis was, omdat hij dat ongezellig voor haar vond. Veel privacy hadden ze daarom niet. Judy huurde een kamer in het huis van een oudere, alleenstaande vrouw die niet veel op had met bezoekers van haar huurster. Ronduit verbieden deed ze het niet, maar ze had de neiging om voortdurend met smoesjes aan haar deur te komen als er iemand bij haar was. Bovendien was haar kamer klein en zag er wat armoedig uit. Ze was hard op zoek naar iets beters, alleen viel dat niet mee in deze studentenstad. Een enigszins behoorlijke kamer of een etage was simpelweg niet te betalen. Als Arnoud en zij echt alleen wilden zijn, waren ze dus aangewezen op een bankje in het park of een wandeling langs het strand, voor de rest hadden ze alleen de nachten die Judy bij Arnoud bleef slapen, maar ook dan moest ze er altijd rekening mee houden dat Connie twee deuren verderop lag. Judy genoot daarom extra van het feit dat Connie er eens een keer niet was, want tot nu toe was dat nog niet voorgekomen. Gelukkig bezat ze altijd wel genoeg fijngevoeligheid om zich halverwege de avond terug te trekken in haar eigen kamer en zo haar broer en zijn vriendin wat rust te gunnen, maar ze wás er simpelweg altijd. En hoe gezellig ook, ze had er ook behoefte aan om alleen met Arnoud te zijn. Hun relatie verdiepte zich, maar ze zaten nog steeds in het stadium dat ze elkaar nog beter moesten leren kennen en dat viel niet altijd mee met een derde erbij.

Maar al had hij vier zussen die op zijn lip zaten, dan zou ze hem nog niet willen missen, daar was Judy van overtuigd. Bij Arnoud was ze thuisgekomen, voor het eerst in haar leven. Hij was haar eindbestemming, de man die zin gaf aan haar leven. Ze zou dan ook nooit iets negatiefs over zijn hechte band met Connie zeggen, want ze wist dat hij dat niet zou accepteren. Hij nam zijn rol als beschermer van zijn zusje heel erg serieus en mede daarom hield Judy juist zoveel van hem. Een man die goed was voor zijn familie, was ook goed voor zijn vrouw, was een veelgehoorde opvatting waar zij volledig achter stond. Arnoud ging door het vuur voor de mensen van wie hij hield. Het was een fijn gevoel te weten dat zij één van hen was.

Net op het moment dat de aftiteling in beeld kwam, weerklonk het muziekje van Arnouds mobiel.

„Connie," zag hij op het schermpje. „Als er maar niets aan de hand is." Met een bezorgd gezicht nam hij op. „Weet je dat zeker?" hoorde Judy hem vragen nadat hij even geluisterd had naar wat er aan de andere kant van de lijn werd gezegd. Weer was hij even stil. Judy hoorde vaag de vrolijke stem van Connie, maar kon niet verstaan wat ze zei. Ze klonk in ieder geval niet als iemand met een probleem, al stond Arnouds gezicht wel op onweer bij wat ze vertelde. Omdat ze niet de indruk wilde wekken dat ze hen afluisterde stond Judy op om nog iets in te schenken. Terug in de kamer verbrak Arnoud net de verbinding.

„Ze blijft vannacht bij Jerry," berichtte hij.

Judy's wenkbrauwen schoten omhoog. „Belt ze jou daarvoor op?" vroeg ze ongelovig.

„Ja, natuurlijk." Evenals Connie scheen Arnoud dat heel normaal te vinden.

„Ze is een volwassen vrouw, bovendien ben jij haar vader niet," ontglipte het Judy.

„We houden gewoon rekening met elkaar. Tegenwoordig schijnt dat een misdaad te zijn als ik dat zo eens hoor. We wonen in één huis, ik vind het persoonlijk niet meer dan logisch dat ze even laat weten dat ze niet thuiskomt, zodat ik de knip op de deur kan doen."

„O, dus ze belde niet om toestemming te vragen?" vroeg Judy ironisch.

Het sarcasme in haar stem ontging hem volledig. „Was het maar waar," antwoordde Arnoud serieus. „Dat kon ik het tenminste verbieden. Nu lachte ze me alleen maar uit toen ik zei dat ik dit niet zo'n goed idee vond."

„Logisch." Ook Judy schoot in de lach bij het zien van zijn verongelijkte gezicht. „In welke eeuw leef jij?" informeerde ze. „Dit is tegenwoordig heel normaal, hoor."

„Ook al is het de algemeen geldende norm, daarom hoef ik het er nog niet mee eens te zijn," sprak Arnoud haar tegen. „Je mag me best een ouderwetse vent vinden, maar ik vind dat ze erg hard van stapel loopt. Ze kennen elkaar eigenlijk nog maar net, want die zogenaamde verkering van vroeger kun je niet meerekenen."

„Ik zie het probleem niet. Ze zijn allebei volwassen en aan niemand verantwoording schuldig, ze vinden elkaar leuk en ze willen met elkaar naar bed. Waarom zouden ze het dan niet doen?" meende Judy nuchter.

Arnoud zuchtte. „Ben ik nou echt de enige die er zo over denkt?" vroeg hij zich hardop af.

„Heb jij nooit onenightstands gehad dan?" wilde Judy weten.

„Nee." Zijn antwoord kwam onmiddellijk. „En ik heb er ook nooit behoefte aan gehad. Als puber heb ik twee keer verkering gehad, maar dat kon je nauwelijks serieus noemen. Daarna heb ik één relatie gehad die dieper ging. Helaas verbrak mijn vriendin onze omgang na een half jaar."

„Maar je bent wel met haar naar bed geweest?"

„Na twee maanden pas. Ik ben nooit zo snel geweest op dat gebied. Natuurlijk is het fijn om seks te hebben, maar dan niet alleen om de seks, als je begrijpt wat ik bedoel. Er moet wel gevoel bij komen. Zoals met jou." Arnoud trok haar even tegen zich aan.

„Wij kennen elkaar anders ook nog niet zo lang en ik heb niet gemerkt dat jij erg schuchter bent," zei Judy met een klein lachje.

„Met jou voelt het gewoon goed."

„Zo voelt Connie het misschien ook met Jerry."

„Dat kan ik me nauwelijks voorstellen na één avond. Zelfs wij hebben er anderhalve week over gedaan voor het zover was," lachte Arnoud.

„Ik blijf erbij dat ze het gewoon moeten doen als ze daar zin in hebben. Tenslotte doen ze er niemand kwaad mee. Behalve dan dat het jouw gemoedsrust verstoort," plaagde Judy.

Arnoud kon er niet om lachen. Hij keek haar onderzoekend aan.

„Ben jij erg makkelijk op het gebied van de liefde?" vroeg hij.

„Dat klinkt alsof je me veroordeelt als ik nu bevestigend antwoord. Er is een verschil tussen makkelijk en makkelijk," wees Judy hem terecht.

„Je begrijpt best wat ik bedoel. Met hoeveel mannen ben jij naar bed geweest?"

Judy beet op haar onderlip. Het duurde even voor ze antwoord gaf.

„Je bent toch niet in gedachten aan het tellen, hè?" vroeg Arnoud ietwat geforceerd.

„Ik zit me af te vragen hoe jij gaat reageren als je het antwoord hoort," bekende Judy. „Mijn leven is nogal turbulent verlopen als het om mannen gaat. Ik heb veel vriendjes gehad. Niet dat ik met allemaal meteen het bed ingedoken ben, maar ik ben beslist geen heilige. Ik heb nogal wat heftige ervaringen gehad."

„Zoals?" vroeg hij kalm toen het stil bleef.

„Ik was dertien, de eerste keer," zei ze langzaam. Ze ontweek zijn ontstelde blik. „Hij dwong me niet of zo, ik wilde het zelf. Hij was lief voor me, dat was mijn belangrijkste argument. Als je van je ouders weinig tot geen liefde of aandacht krijgt, doe je zulke dingen blijkbaar. Onze verkering heeft nog geen maand geduurd, daarna dumpte hij me voor een ander. Als mannen, of liever gezegd jongens, eenmaal hun zin hebben gekregen hoeft het voor hen niet meer. Jammer genoeg leerde ik niet van die ervaring. Ik ben altijd het meisje gebleven dat snel toegaf uit angst om weer verlaten te worden, zonder te begrijpen dat die houding juist averechts werkte. Op school had ik niet zo'n beste reputatie. Tenminste, niet bij de meisjes. De jongens dachten daar anders over," eindigde ze op droge toon.

„Wat een triest verhaal," zei Arnoud zacht. Teder streelde hij haar schouder. „Je was dus eenzaam en probeerde dat te compenseren."

„Dat klinkt wel heel erg hoogdravend. Als ik heel eerlijk ben moet ik zeggen dat ik er ook nooit vies van ben geweest," zei Judy eerlijk. „Ook toen ik de jaren des onderscheids bereikte, om het maar eens mooi te zeggen. Er waren altijd mannen genoeg. Soms voor een nacht, soms wat langer. Echt serieus verliefd ben ik nooit geweest, tot ik jou ontmoette."

Het bleef lang stil na haar verhaal. Arnoud staarde nadenkend voor zich uit.

„Schrik je nu heel erg?" poogde Judy luchtig te zeggen. Haar hart was echter zwaar van angst. Ze wilde niet liegen tegen hem, de consequentie van het vertellen van de waarheid kon echter wel eens heel zwaar wegen. Juist bij de behoudende Arnoud moest dit hard aangekomen zijn. Zo hard dat Judy vreesde voor de gevolgen. Toch was ze liever eerlijk dan erover te moeten liegen. Als hij haar niet accepteerde zoals ze was, had hun relatie tenslotte geen enkel nut, hield ze zichzelf manmoedig voor.

„Het was niet wat ik verwacht had te horen, nee," zei Arnoud. „Mijn oren klapperen ervan, dat geef ik eerlijk toe."

„Walg je nu van me? Zeg het alsjeblieft gewoon als het zo is, dat heb ik liever dan dat je net doet of je het niet erg vindt om me vervolgens constant voor de voeten te werpen dat ik een slet ben," zei Judy hard. Ze keek hem strijdlustig aan, klaar om op te staan en weg te lopen.

„Dat was ik niet van plan. Ik heb niets te maken met jouw verleden, Judy. Ik hou van je zoals je nu bent."

„Echt waar?" Ze kon haar oren amper geloven.

„Denk je nu werkelijk dat ik onmiddellijk onze relatie ga verbreken omdat jij geen onbeschreven blad meer bent?" vroeg Arnoud met opgetrokken wenkbrauwen. „Je zou me beter moeten kennen."

„We kennen elkaar nog niet zo goed, dat is nu wel weer gebleken."

„Ik ken je goed genoeg om te weten dat ik met jou verder wil, ondanks alles wat je in het verleden hebt gedaan," zei Arnoud daarop. „Het gaat om het hier en nu. Je hoeft je niet zo defensief op te stellen, evenmin is het nodig om zo strijdlustig te doen. Dat afweermechanisme heb je bij mij niet nodig."

„Nee, dat begin ik ook te geloven." Judy's gezicht begon langzaam te stralen. „Ik wist wel dat het een uitermate goed idee was om contact met jou te zoeken nadat ik je foto had gezien. Weet je, ondanks alle mannen met wie ik in het verleden iets heb gehad, is dit de eerste keer dat ik echt iets voor iemand voel. Iets wat verder gaat dan een oppervlakkige verliefdheid, bedoel ik. Op andere mannen was ik altijd weer snel uitgekeken, maar je hoeft niet bang te zijn dat dat voor jou ook geldt. Bij jou heb ik het gevoel dat ik eindelijk thuisgekomen ben."

„Ik weet wat je bedoelt," knikte Arnoud. „Zelf heb ik weliswaar niet zo'n turbulente geschiedenis, toch weet ik heel zeker dat mijn gevoelens voor jou niet te overtreffen zijn. Dat had ik de eerste avond al heel sterk. We horen bij elkaar."

Judy kroop heerlijk tegen hem aan. Er was een enorme last van haar afgevallen na haar bekentenis. De vorige man op wie ze gemeend had verliefd te zijn, had haar onmiddellijk laten vallen toen hij dit verhaal hoorde. Ze had dan ook even overwogen om de waarheid voor Arnoud te verzwijgen, maar was nu blij dat ze dat niet gedaan had. Ongetwijfeld was het hem dan toch een keer via een andere weg ter ore gekomen en dan zou hij haar, terecht, nooit meer vertrouwen. Arnoud was een man uit duizenden, dacht ze warm. Ze wilde hem nog net niet haar prins op het witte paard noemen, maar hij kwam wel heel dicht in de buurt bij het type man waar ze als tiener van gedroomd had.

Dat zei ze hem ook. „Ik heb altijd gehoopt dat ik iemand als jij tegen zou komen. Ik kan mezelf heel goed redden in mijn eentje en ben geëmancipeerd genoeg om mezelf te bedruipen, toch ben ik onbewust altijd op zoek geweest naar iemand bij wie ik me veilig en geborgen voel. Dat zal wel een tic uit mijn jeugd zijn, want mijn ouders waren niet van het verzorgende type. Het zijn beste mensen, hoor, alleen is het ze nooit gelukt om een echt gezin te creëren voor mij en mijn zus. We hingen thuis als los zand aan elkaar. Zelf wil ik het anders doen in de toekomst. Minstens drie kinderen wil ik hebben. Om niet helemaal af te stompen wil ik één of twee dagen per week blijven werken, maar zeker geen vijf dagen. Mijn kinderen wil ik zelf opvoeden en verzorgen in plaats van ze in een crèche te stoppen. Ik zie me al zitten aan een grote eettafel, knutselend met mijn kinderen," fantaseerde ze hardop.

Ze zag niet dat Arnouds gezicht betrok. De greep van zijn hand om haar schouder verstevigde zich, maar dat vatte ze op als een bemoedigend gebaar, een teken van instemming. Hij wilde iets zeggen, maar zijn keel leek wel dichtgeschroefd te zitten. Hij kon het haar niet zeggen, niet nu. Dit was niet het geschikte moment. Hij besefte niet dat er wellicht nooit een geschikt moment zou komen. Nu zij haar hart bij hem uitgestort had en volkomen eerlijk was geweest, was dit juist het uitgelezen tijdstip om met zijn bekentenis voor de dag te komen, maar de woorden wilden niet komen. Hij verkrampte helemaal bij zijn poging, ondanks het schuldgevoel dat onmiskenbaar bezit van hem nam.

De volgende ochtend, zondag, werd Judy gewekt omdat Connie voorzichtig haar hoofd om de deur van Arnouds slaapkamer stak. „Pst, ben je wakker?" fluisterde ze.

„Nu in ieder geval wel." Slaperig kwam Judy overeind. „Hoe laat is het?"

„Half twaalf," meldde Connie. „Ik heb net koffiegezet."

„Lekker. Ben je al lang thuis?"

„Nee, net. Kom je? Laat Arnoud nog maar lekker even slapen."

Met een blik op de slapende Arnoud, die zich mompelend omdraaide en weer diep onder het dekbed kroop, trok Judy haar duster aan en volgde Connie naar de keuken, waar ze samen aan het kleine eetbarretje gingen zitten. Connie schonk twee bekers koffie in. Haar ogen straalden, zag Judy. Ze zag er gelukkig uit.

„Heb je een leuke avond en nacht gehad?" vroeg Judy overbodig.

„Nou en of! Ik was vergeten hoe leuk Jerry was, maar nu weet ik alles weer," zei Connie met glinsterende ogen.

„Dat geloof ik best, ja." Judy grinnikte. „Waar is hij nu?"

„Hij komt straks hierheen. Hij moest even wat spullen brengen bij een vriend van hem, dus hij heeft mij hier afgezet zodat ik me om kon kleden. Hij eet hier vanavond mee."

„Je durft het toch zeker niet aan om hem meteen voor de leeuwen te werpen wat jouw kookkunst betreft?" zei Judy quasi-geschrokken. Ze had al vaker kennisgemaakt met Connies povere pogingen om een maaltijd op tafel te zetten. „Dat zou direct het einde van jullie prille relatie betekenen."

„En bedankt." Connie lachte, haar humeur kon niet meer stuk. „Ik zet Arnoud wel in de keuken, of we bestellen ergens wat. Ik had trouwens wel verwacht dat jullie allang op zouden zijn."

„Het is laat geworden vannacht. We hebben lang gepraat."

„O, noemen ze dat tegenwoordig zo?" plaagde Connie meteen terug. „Stom. Ben ik er eens een keer niet, gaan jullie zitten praten. Hadden jullie niets beters te doen?"

„We gaan er van uit dat je nu wel vaker een nachtje weg zult blijven," reageerde Judy effen.

„Die kans zit er dik in. O Judy, ik ben zo gelukkig! Ik had nooit verwacht dat dit me nog eens zou overkomen. En toevallig bijna tegelijkertijd met Arnoud, mooier kan het niet. Ineens valt alles op zijn plek. Je weet dat Arnoud en ik de laatste jaren erg op elkaar gericht waren en ik ben wel eens bang geweest dat een relatie van één van ons tweeën een heleboel problemen zou veroorzaken, maar beter als het nu is kan het niet. Ik beschouw jou echt als een vriendin, wat al een hele opluchting voor me was, maar wat jou toch wel eens benauwd moet hebben."

„Natuurlijk niet. Ik ben blij dat wij zo goed overweg kunnen," gooide Judy ertussendoor, maar Connie schudde haar hoofd.

„Dat is ook fijn, maar jij kreeg behalve een vriend ook ineens zijn zus in je schoot geworpen, of je dat nu wilde of niet. Arnoud en ik hangen nu eenmaal erg aan elkaar en hij is er het type niet naar om mij te laten barsten omdat hij verliefd geworden is. Je kunt het een beetje vergelijken met een man die een kind uit een vorig huwelijk heeft. Daar kun je als nieuwe vriendin ook niet omheen en dat gevoel moet jij ten opzichte van mij toch ook wel eens gehad hebben."

„Een beetje wel," zei Judy eerlijk. „Maar ik heb vanaf het eerste moment geweten dat jij een onvervreemdbaar deel van Arnoud bent. Ik zou daar ook niet tussen willen komen, al vind ik het wel eens overdreven."

„Dat horen we vaker. Mensen vergeten dat de situatie nu eenmaal zo gegroeid is onder druk van de omstandigheden. Vroeger waren we een normale broer en zus. We vochten als kat en hond en toen Arnoud eenmaal het huis uit was zagen we elkaar af en toe weken niet zonder dat we daar een probleem mee hadden. Toen kwam dat ongeluk en veranderde alles. Plotseling hadden we alleen elkaar nog maar. Er waren uiteraard een heleboel mensen die er verdriet van hadden, maar voor niemand was het zo ingrijpend als voor ons. Daarna zijn we de zaak gestart en was er gewoon geen tijd voor andere sociale contacten, waardoor onze band steeds hechter werd. Vergeet niet dat ik ook pas achttien was ten tijde van het ongeluk. Ik voelde me wel al heel volwassen, maar ik was natuurlijk nog maar een kind. Een zeer ontredderd kind zelfs. Arnoud heeft het zich als zijn taak gesteld om mij te helpen en daar is hij nooit meer van afgeweken. Nu beginnen de zaken echter weer te veranderen, ten goede. Jij bent er, Jerry is er. We kunnen nu allebei onze eigen persoonlijkheid gaan ontwikkelen en ons eigen leven gaan leiden, al zal de band altijd blijven."

„Dat is iets wat je moet koesteren," meende Judy ernstig. „Mijn zus en ik zien elkaar zelden of nooit en als we elkaar spreken, meestal over de mail, gaat het over oppervlakkige dingen. We kennen elkaar eigenlijk helemaal niet. Ik ben wel eens jaloers op jou en Arnoud."

„De aanleiding was echter helemaal niet prettig." Connies gezicht betrok even, maar ze voelde zich op dat moment te gelukkig om lang stil te blijven staan bij verdrietige herinneringen. „Afijn, wat ik hier eigenlijk mee wilde zeggen is dat ik simpelweg dolgelukkig ben nu met Jerry, met jou en met Arnoud. Ik denk dat wij een heel goed kwartet kunnen vormen. Arnoud en ik zullen nooit zo'n broer en zus worden die elkaar alleen op verjaardagen een verplicht bezoekje brengen, dus het is wel noodzaak dat we allemaal goed met elkaar overweg kunnen."

"Ik zal mijn best doen," beloofde Judy plechtig. "En ik zal tegen Arnoud zeggen dat hij jullie een beetje ruimte moet geven."

"Dat is nergens voor nodig," klonk de verontwaardigde stem van Arnoud vanuit de deuropening.

"Hoelang sta jij daar al?" vroeg Connie streng.

"Lang genoeg om te weten dat jij je nu heel happy voelt. Fijn voor je, zus." Hij omhelsde haar even kort, maar hartelijk. "En ik heb helemaal niets tegen Jerry," vervolgde hij toen tegen Judy.

"Je wilt alleen niet dat Connie bij hem blijft slapen."

"Heeft hij dat werkelijk gezegd?" vroeg Connie met grote ogen. "Arnoud, dat meen je niet! Ik ben vierentwintig, hoor."

"Ja, ja, daar heb ik nu wel genoeg over gehoord," bromde Arnoud terwijl hij voor zichzelf ook een beker koffie inschonk. "Dat ging me trouwens niet om Jerry persoonlijk, maar omdat het zo snel ging allemaal."

"Iets wat goed voelt moet je niet uitstellen," zei Connie vol vertrouwen.

De bel klonk door de flat en ze wilde opspringen om open te doen, maar Arnoud hield haar tegen. "Laat mij maar." Door de open deur hoorden Connie en Judy hoe Arnoud Jerry begroette.

"Kom binnen," zei hij gastvrij. "Sorry dat ik nog in mijn ochtendjas loop, maar ik denk dat je dat wel vaker mee zult gaan maken. Het zit er dik in dat wij vieren elkaar heel vaak zullen zien in de toekomst."

Judy kneep Connie even plezierig in haar arm. Met deze woorden bewees Arnoud dat hij Jerry volledig accepteerde en dat was voor Connie een hele opluchting.

De toekomst lachte haar plotseling zonnig tegemoet. Zomaar ineens, in een paar weken tijd, had ze alles. Een vriend én een goede vriendin. Bovendien waren Arnoud en zij nu tegelijkertijd verliefd en gelukkig, wat het extra leuk maakte. Want Arnoud en zij, dat kon nooit meer stuk. Wat er ook nog zou gebeuren, die speciale band die zij samen hadden bleef altijd bestaan, daar was Connie van overtuigd.

HOOFDSTUK 7

„Zullen we eens samen naar de sportschool gaan?" had Judy enthousiast voorgesteld. Connie was daar gretig op ingegaan, maar nu ze het zweet van haar voorhoofd wiste en haar hart tekeer voelde gaan tijdens het rennen op de loopband had ze daar behoorlijk spijt van. Ze had altijd gedacht dat ze een goede conditie bezat vanwege haar drukke werk waarbij ze de hele dag liep en stond, toch bleek dat bitter tegen te vallen. Terwijl Judy gestaag doorrende en er niet naar uitzag dat die inspanning haar veel moeite kostte, ging Connies ademhaling met horten en stoten en had ze het gevoel dat haar longen ieder moment konden barsten.

„Dit heb jij vast vaker gedaan," hijgde ze nadat ze het op had gegeven. Ze bleef voorovergebogen naast de loopband staan, met haar handen op haar knieën. Het zweet gutste langs haar rug.

Judy knikte vrolijk. „Vroeger ging ik minstens drie keer per week," vertelde ze. „Op mijn werk zit ik de hele dag, dus een beetje extra beweging kan nooit kwaad. Sinds ik Arnoud ontmoet heb is de klad er echter in gekomen, maar ik wil het graag weer oppakken."

„Zonder mij dan."

Judy lachte haar hartelijk uit. „Watje," hoonde ze. „Het is een kwestie van even doorzetten, je moet eens zien hoe heerlijk je het dan vindt."

„Daar kan ik me weinig bij voorstellen. Gek, ik loop toch ook de hele dag op de zaak."

„Dat is heel andere beweging," wist Judy. „Met dit soort oefeningen gaat je hart een stuk sneller pompen en met je werk is dat niet meer het geval omdat je daaraan gewend bent. Je lichaam heeft af en toe een beetje uitdaging nodig."

„Dan ga ik toch liever een avond dansen," bromde Connie terwijl ze zich in de richting van de douches begaf. Pas later, aan de bar en met een groot glas vruchtensap voor zich, kwam ze een beetje bij. Ze besloot dat het zich afbeulen op de sportschool niets voor haar was.

„Jammer," meende Judy spijtig. „Ik vind het juist zo gezellig om iets samen te ondernemen. Arnoud is een schat en ik hou veel van hem, maar ik wil ook wel eens iets zonder hem doen. In je eentje is iets als dit echter lang niet zo leuk. Ik hoopte dat jij net zo enthousiast zou zijn als ik zelf ben."

„Ik vind het ook heel erg leuk om samen iets te doen," beaamde Connie. Ze gaf Judy even een vertrouwelijk kneepje in haar arm. „Maar niet dit, daar ben ik wel achter. Waarom zoeken we samen niet een leuke sportvereniging op? Een badmintonclub bijvoorbeeld of iets van aquajogging of zo?"

„Leuk," antwoordde Judy direct enthousiast. Ze hief haar glas naar Connie op als bezegeling van dit plan. „Lekker een avondje per week als vrouwen onder elkaar, zonder de mannen erbij. Hoe lief ik ze ook vind," voegde ze daar snel aan toe.

„Ze?" herhaalde Connie.

„Nou ja, Arnoud dan. Hoewel Jerry natuurlijk ook niet te versmaden is."

„Als je maar weet dat hij van mij is," lachte Connie. „Wat dat betreft ben ik natuurlijk in het nadeel. Jij kunt ook nog eens met Jerry flirten als Arnoud je verwaarloost, maar ik kan niks met Arnoud."

„Arnoud verwaarloost mij niet," zei Judy zelfverzekerd. „Trouwens, hoe leuk ik Jerry ook vind, hij haalt het niet bij hem. Arnoud is alles voor me." Plotseling werd haar vrolijke gezicht ernstig. „Arnoud is de man bij wie ik thuisgekomen ben, hoe oubollig dat misschien ook mag klinken. Ik heb vele vrienden gehad, maar het is met niemand zo geweest als het met hem is. Arnoud is de man met wie ik oud wil worden en met wie ik een gezin wil stichten. Hij is de vader van mijn toekomstige kinderen en dat is iets wat ik nog nooit van een man heb gedacht."

Connie beet op haar onderlip. Het was wel duidelijk dat Judy nog steeds niet alles van Arnoud wist. Ze had hem vaker gezegd dat hij open kaart moest spelen met haar, maar Arnoud had haar kortaf toegesnauwd dat dit haar zaken niet waren.

„Wil je nog iets drinken?" vroeg ze. Zonder het antwoord af te wachten draaide ze zich om naar de man achter de bar, zodat ze even Judy's ogen kon ontwijken. Die straalden als ze over Arnoud en hun gezamenlijke toekomst praatte. Het kostte haar moeite om de waarheid er niet zonder meer uit te flappen, want ze vond dat Judy daar recht op had. Arnoud had aan de andere kant ook gelijk als hij zei dat ze zich hier niet mee moest bemoeien. Dit was iets tussen hem en Judy, zij had daar niets mee te maken. Dat viel haar echter steeds moeilijker naarmate haar vriendschap met Judy groeide. Haar loyaliteit lag niet meer alleen bij Arnoud, maar tegenwoordig ook bij Judy.

Connie voelde zich ontzettend rijk met Judy als vriendin. Sinds haar schooltijd had ze geen echte vriendinnen meer gehad en het gemis daarvan voelde ze nu pas. Judy had haar leven enorm verrijkt, zelfs nog meer dan Jerry. Ze was min of meer bij hen in de flat getrokken en dat verliep uitstekend. Haar jaloezie was ze allang te boven en ze vond het alleen maar gezellig dat Judy zo'n groot deel van haar leven uitmaakte. Ongetwijfeld kwam dat ook door haar eigen relatie met Jerry. Er was nu geen sprake meer van dat ze avond aan avond thuis zat te vegeteren. Jerry was een levensgenieter die ervan hield om uit te gaan en om zijn vrienden te bezoeken en Connie vergezelde hem tegenwoordig bij bijna alles. Daarnaast ging ze ook wel eens alleen met Judy op stap en de zondagen brachten ze meestal met zijn vieren door. Dan maakten ze lange wandelingen, gingen naar de bioscoop of picknickten ze in het park, net waar ze zin in hadden. Die zomer was een aaneenschakeling van mooie, zonnige dagen en die buitten ze volledig uit. Het leven was één groot feest, zeker voor Connie. Voor deze grote veranderingen in haar leven was ze niet ongelukkig geweest, maar ze had wel lange tijd het vage, onbestemde gevoel gehad dat ze iets miste, dat er meer moest zijn in het leven. Nu was dat ontbrekende deel zomaar in haar schoot komen vallen en daar genoot ze met volle teugen van.

„Het leven is heerlijk," zei ze als een vervolg op die gedachten.

„Ontmoet JJ en het komt in orde," grijnsde Judy. „Ja, kijk maar niet zo verbaasd. Sinds je mij hebt leren kennen is het er voor jou een stuk leuker op geworden." Verwaand stak ze haar neus in de hoogte.

„Misschien heeft Jerry er ook wel een beetje toe bijgedragen," zei Connie liefjes.

„Een heel klein beetje dan," gaf Judy grootmoedig toe. Ze giechelden als twee schoolmeisjes.

„Dit heb ik enorm gemist, weet je dat?" vervolgde Connie toen serieus. „Gewoon lachen om niets en eindeloos doorpraten over de meest uiteenlopende onderwerpen, of ze nou belangrijk zijn of niet. Je op je gemak voelen bij elkaar, graag in elkaars gezelschap zijn, dat soort dingen."

„Vriendschap dus," constateerde Judy nuchter. Ze knikte Connie hartelijk toe. „Ik weet precies wat je bedoelt. Ik heb wel altijd vriendinnen gehad, maar het bleef toch altijd wat oppervlakkig, zeker als ik het nu vergelijk met hoe wij met elkaar omgaan. Dat gaat veel dieper. Dit is een vriendschap voor het leven, zouden we vroeger op school beweerd hebben."

„Dat durf ik nu ook wel te zeggen," zei Connie vol vertrouwen.

„Je weet anders nooit wat het leven nog brengt. Ik heb vaker vriendschappen gehad waarvan ik dacht dat ze niet stuk konden, maar die uiteindelijk toch verwaterden. Dat hou je nu eenmaal niet tegen. Mensen veranderen voortdurend en als je allebei een andere richting op groeit, is het vaak snel gedaan met de vriendschap."

„Maar wij worden ook nog eens familie van elkaar, dus dat zit wel goed. We zullen elkaar sowieso nooit uit het oog verliezen, dat is zeker. Hebben jullie overigens al vaste plannen voor de toekomst?" informeerde Connie.

„Als je trouwplannen bedoelt, nee. Daar hebben we het nog nooit over gehad. Ik geloof niet dat Arnoud daar nou zo erg happig op is."

„Dat komt vanzelf wel," wist Connie. „Arnoud moet altijd ergens rustig naar toe groeien, die is niet zo impulsief. Wat dat betreft verbaast het me nog steeds dat hij zo halsoverkop verliefd op jou geworden is. Eigenlijk is dat niets voor hem, daar is hij te bedachtzaam voor."

„Ik zei het al eerder. Ontmoet JJ en het komt in orde," lachte Judy.

„Kapsones." Connie stond op. „Zullen we eens op huis aangaan? Het is al kwart over elf, we hebben zo'n tijd zitten kletsen. Jerry had vanavond voetbaltraining, maar daarna zou hij nog even langskomen. Ze weten vast niet waar we blijven."

Het droge, warme weer van de laatste dagen was omgeslagen en het regende behoorlijk. Snel renden Judy en Connie naar de wagen van Arnoud, die ze vanavond geleend hadden.

„Het is ineens fris ook," rilde Connie.

„Ja meid, de zomer is zo'n beetje voorbij. Het is al bijna oktober, dus herfst. We mogen toch niet klagen dit jaar, het is prachtig weer geweest."

„Jammer dat het voorbij is." Connie staarde uit het raampje, waar de regendruppels mistroostig langs gleden. Het was in ieder geval de mooiste zomer van haar leven geweest, dacht ze sentimenteel. Tot nu toe in ieder geval. Waarschijnlijk lagen er nog veel mooiere zomers op haar te wachten in een toekomst die naar haar lonkte.

Jerry zat inderdaad in de flat op haar te wachten. De twee mannen waren in een geanimeerd gesprek gewikkeld bij hun binnenkomst.

„Ga me nou niet vertellen dat jullie je tot elf uur afgebeuld hebben op die apparaten," zei Arnoud geamuseerd.

„Natuurlijk wel," loog Judy opgewekt terwijl ze hem een zoen gaf. „Het was heerlijk, nietwaar Con?"

„Nou," antwoordde die weinig enthousiast. „We gaan vast vaker."
Het klonk echter zo in mineur dat Jerry luid begon te lachen.
„Ik geloof niet dat de sportschool echt aan jou besteed is."
„Nee," bekende Connie. „Ik vind het vreselijk. Ik zie er de lol niet
van in om op zo'n loopband te rennen of om op zo'n nepfiets te
zitten. Ik fiets liever een paar uur door het bos, dan krijg je ook
nog wat frisse lucht binnen. Dit is zo'n nutteloze bezigheid."
„Lichaamsbeweging is nooit nutteloos," protesteerde Judy.
„Toch doe ik liever iets in groepsverband, dat is tenminste gezellig." Connie nestelde zich tegen Jerry aan op de brede bank. „Fijn
dat je er bent. Blijf je slapen?"
„Welja, er kan nog meer bij," bromde Arnoud goedmoedig. „Onze
flat begint langzamerhand uit zijn voegen te barsten."
„Dat komt ervan als je een partner uitzoekt die een onmogelijke
behuizing heeft," grinnikte Judy. „Ik ga uiteraard alleen met je om
vanwege deze gerieflijke flat."
„Dat ben ik helemaal met je eens," viel Jerry haar bij. „Mijn
woning is ook niet veel soeps, dus ik heb Connie geselecteerd op
haar woonruimte."
Connie kietelde hem in zijn zij tot hij om genade smeekte. De
sfeer was gezellig en ontspannen zo met zijn vieren en zoals steeds
vaker gebeurde duurde het erg lang voor ze opbraken om te gaan
slapen. Het was diep in de nacht voor Arnoud aanstalten in die
richting maakte.
„We hebben tegenwoordig een chronisch slaaptekort," zei Connie.
„Morgenochtend heb ik hier weer spijt van, maar de tijd vliegt nu
eenmaal voorbij als we zo bij elkaar zitten." Ineens schoot ze overeind. „Waarom kopen we geen huis met zijn vieren?" riep ze
enthousiast uit. „Dat zou helemaal perfect zijn! Een groot huis,
waarin we allemaal onze eigen leefruimte hebben, maar waarin
we ook een gezamenlijke huiskamer inrichten."
„Klinkt goed," viel Judy haar onmiddellijk bij. „Een huis met minstens vier slaapkamers, een grote zolder en een tuin. En zo'n grote

serre aan de achterkant. Dat kan dan de gezamenlijke ruimte worden."

„Er hoeft maar één keuken in, want eten doen we natuurlijk met zijn vieren," fantaseerde Connie.

Jerry en Arnoud bekeken de twee vrouwen hoofdschuddend.

„Lopen jullie niet heel erg hard van stapel?" informeerde Jerry.

„Vind jij het geen goed plan dan?" vroeg Connie.

„Het klinkt uitstekend, maar het lijkt me nog een beetje vroeg voor zulke verregaande toekomstplannen. Voor er een week om is vliegen we elkaar misschien wel in de haren."

„Vast niet. Trouwens, daarom maken we er ook aparte woonruimtes in. We kunnen natuurlijk ook een twee-onder-één-kap-woning kopen en daar een gezamenlijke serre aan bouwen."

„Hier is niet tegenin te praten," zei Arnoud tegen Jerry. „Als die vrouwen iets in hun hoofd hebben krijg je dat er met geen tien paarden meer uit."

„Ik vind het helemaal geen slecht idee," meende Judy.

„Dat bedoel ik. Dames, vinden jullie het heel erg om daar een ander keertje over te fantaseren? Het is midden in de nacht en mijn bed roept me. Samen een huis kopen," mompelde hij verder tegen niemand in het bijzonder. „Laten we eerst eens kijken hoe het gaat als we een paar weken in elkaars gezelschap zijn. Misschien wordt dat wel moord en doodslag."

„Dan gaan we toch met zijn vieren op vakantie om dat uit te proberen?" loste Judy dat simpel op.

Connie sloeg haar enthousiast op haar schouder. „Jij bent een vrouw naar mijn hart," prees ze. „Kom op, jongens, denk eens mee. Waar zullen we naartoe gaan?"

Arnoud sloeg zijn ogen ten hemel terwijl Jerry grijnzend toekeek. Hij hield wel van dat impulsieve gedoe. Het leven werd op deze manier tenminste nooit saai, oordeelde hij.

„Zullen we nog maar iets te drinken nemen?" stelde hij lachend voor. „Van slapen komt toch niets voordat die twee een compleet uitgewerkt plan hebben, zo goed ken ik ze inmiddels wel."

Ondanks het late tijdstip stemde Arnoud zuchtend toe. Diep in zijn hart moest hij toegeven dat hij er ook wel zin in had om met zijn vieren een tijdje weg te gaan, maar als het aan hem had gelegen hadden ze die plannen even uitgesteld tot de volgende dag. Hij moest zich echter bij de meerderheid neerleggen.

„We kunnen niet te lang gaan," merkte hij op. „Ons personeel redt het nog niet zo lang zonder leiding, zeker Tijmen niet. Een week is voor ons het maximum."

„Dan gaan we dus niet te ver," besliste Judy. „Iets in eigen land misschien?"

„Ik weet een leuk hotel met alles erop en eraan," zei Jerry. „Heerlijke buffetten, voldoende vertier om jezelf leuk bezig te houden en iedere avond live muziek. Zet de computer even aan, dan kunnen jullie het zelf bekijken."

Connie startte hun computer op en even later bekeken ze aandachtig de website van het bewuste hotel. Het zag er inderdaad uitstekend uit, oordeelden ze eenparig. Binnen de muren van het hotel was van alles te doen, zodat ze niet afhankelijk waren van het weer. De foto's van de warme en koude buffetten deden het water in hun monden lopen en de aanblik van het zwembad bracht vooral Connie en Arnoud in vervoering. Er was zelfs een bioscoop in het pand en, zoals Jerry al gezegd had, iedere avond live muziek waarop gedanst kon worden.

„Dit wordt het," besloten ze eensgezind. Arnoud boekte meteen on line twee tweepersoonskamers voor eind oktober. Een week was helaas niet mogelijk omdat ze al zo goed als volgeboekt zaten, maar een midweek kon nog wel. Hoewel dat een teleurstelling was, gingen ze er toch voor. Het hotel klonk zo aantrekkelijk dat ze liever wat korter weggingen dan dat ze iets anders moesten zoeken.

Tevreden stapten ze een kwartier later dan toch eindelijk hun bed in. Vooral Connie was opgewonden bij het vooruitzicht van hun korte vakantie. Nog vijf weken voor het zover was, ze kon het haast niet afwachten. Hoewel het inmiddels al over tweeën was, kon ze de slaap niet onmiddellijk vatten. Het regelmatige, lichte gesnurk van Jerry vertelde haar dat hij daar geen moeite mee had, maar haar hoofd was te vol van alles om rust te vinden. In het schemerdonker viel haar oog op een grote foto van haar ouders aan de muur, zwak verlicht door het schijnsel van de maan door de net niet helemaal gesloten gordijnen. Een golf van weemoed overviel haar. Wat was het toch ontzettend jammer dat haar ouders geen getuige meer mochten zijn van het grote geluk dat haar en Arnoud ten deel was gevallen. Ze zouden ervan genoten hebben, wist Connie. Het plan om met zijn vieren op vakantie te gaan zou vooral haar moeder enorm toegejuicht hebben. Die had altijd gehoopt dat Connie en Arnoud meer met elkaar op zouden trekken.

Zuchtend draaide ze zich om. Ze was dolgelukkig nu Jerry en Judy in haar leven gekomen waren, toch sloeg het verdriet om alles wat er niet meer was nog regelmatig hard toe. Toch belette haar dat niet om te genieten van alles wat het leven haar zo onverwachts in de schoot had geworpen. Ze was jong, gezond en gelukkig. Er waren zoveel mensen op deze aarde die het met veel minder moesten doen. Ze nam het dan ook niet als iets vanzelfsprekends aan, maar was dankbaar voor wat ze had.

Weer draaide Connie zich om in bed, zodat ze nu met haar gezicht naar Jerry toegekeerd lag. In zijn slaap sloeg hij een arm om haar heen en tevreden nestelde ze zich tegen hem aan. Er zou altijd iets te wensen overblijven, maar op dat moment was haar leven toch bijna volmaakt, dacht ze. En het kon alleen nog maar beter worden.

HOOFDSTUK 8

Op weg naar het hotel voor hun midweekje weg gingen ze, op verzoek van Connie, eerst even langs de begraafplaats. Ze had er behoefte aan om hun ouders deelgenoot te maken van wat ze aan het doen waren. De korte gesprekjes aan het graf gaven haar altijd een goed gevoel. Voor Arnoud hoefde het niet zo nodig, dat wist ze, maar hij ging trouw met haar mee als ze dat wilde. Het kwam eigenlijk maar zelden voor dat Connie alleen ging. Nu stonden ze er met zijn vieren. Ze voelde Judy's hand bemoedigend in haar rug. Jerry en Arnoud hielden zich iets afzijdig.

„Is dit niet heel vreemd voor jou?" vroeg Connie terwijl ze zich bukte en zorgzaam het bosje bloemen dat ze meegenomen had in een vaasje zette. „Onze ouders zijn volslagen onbekenden voor jou. Jerry kent ze tenminste nog van vroeger."

„Ik heb het gevoel dat ik ze ken, door jullie verhalen," antwoordde Judy eenvoudig. „Het is jammer dat ik ze nooit zal ontmoeten. Volgens mij waren het heel sympathieke mensen."

„Het waren schatten," zei Connie warm. Ze knielde naast de grafsteen neer en veegde er wat modder van af. „Tegenwoordig hoor je vaak verhalen over ouders die amper naar hun kinderen omkijken en die ze zelfs verwaarlozen, maar daar hebben Arnoud en ik nooit over te klagen gehad. Ze deden alles voor ons. We vormden nog zo'n ouderwets gezin, met een vader die de hele week hard werkte en een moeder die weliswaar een parttime baantje had, maar die toch altijd thuis was als wij uit school kwamen. Op vrijdag stond ze meestal de hele dag in de keuken om te bakken en te braden voor het weekend. Heel het huis geurde dan naar verse cake, koekjes of draadjesvlees. Het is eigenlijk een wonder dat ik niet veel en veel zwaarder ben," vervolgde ze lachend. „Zoals mijn moeder kon koken kon niemand het. Zelfs Arnoud kan er niet aan tippen. Die kunst heb ik beslist niet van haar geërfd."

„Dat zijn herinneringen die je moet koesteren," zei Judy ernstig.

„Doe ik ook. Natuurlijk heb ik foto's en filmbeelden van ze, maar juist de bezoekjes aan hun graf houden de herinneringen levend, hoe gek dat ook mag klinken. Als ik hier ben staan zelfs de meest onbeduidende gebeurtenissen uit onze jeugd me weer helder voor ogen. Ik voer ook altijd hele gesprekken met ze," bekende Connie enigszins beschroomd.

„Zullen we je even alleen laten dan?" bood Judy onmiddellijk aan. Connie schudde haar hoofd. „Hoeft niet. Iedereen mag horen wat ik te zeggen heb." Weer streek ze even over de grafsteen, hoewel er geen spoortje modder meer op te bekennen viel.

„Jullie zouden heel blij zijn als jullie ons nu konden zien," zei ze zacht. „Arnoud en ik hebben allebei onze bestemming gevonden en we zijn gelukkig. Wat je altijd wenste is uitgekomen, mam. We hebben een heel goede band met elkaar, ook met onze wederzijdse partners. Ons gezin van vroeger is er niet meer, maar ik heb het gevoel dat wij met ons vieren een beetje een nieuw gezin vormen. We gaan zelfs samen op vakantie, hadden jullie je dat enige jaren geleden voor kunnen stellen?" De tranen sprongen in haar ogen, toch lachte ze. „Het leven is goed voor ons, het is alleen zo verdrietig dat jullie er geen getuige van kunnen zijn."

„Van waaruit ze zijn, zien ze het vast," zei Judy toen Connie zweeg. Ze wees naar boven, waar net een aarzelend zonnestraaltje door het dikbewolkte hemeldek scheen. „Zie je wel?"

Ze hielp Connie overeind uit haar gehurkte positie en de twee vriendinnen omhelsden elkaar even zwijgend.

„Dank je wel," zei Connie daarna schor. „Het is fijn om ook dit met jou te delen." Ze schudde even wild met haar hoofd en wreef snel over haar ogen. „Kom op, jongens. Tijd voor vakantie!" riep ze toen. Ze pakte Judy bij haar arm en uitgelaten renden ze samen naar de auto, die buiten het hek geparkeerd stond. Jerry en Arnoud volgden wat rustiger.

De stemming sloeg ineens volledig om. Connie en Judy zongen luidkeels mee met de muziek op de radio en ze lachten om niets.

Ze hadden duidelijk zin in de dagen die eraan kwamen.

Het hotel overtrof hun stoutste verwachtingen. De buitenkant zag er niet bijzonder uit, maar binnen was het erg stijlvol ingericht. Na het inchecken en het uitpakken van hun koffers leidde Jerry hen rond. Het was een enorm gebouw en Connie, die helemaal geen richtingsgevoel had, vreesde dat ze hier nog wel eens zou verdwalen.

„Dat kan niet, want alle paden leiden naar de bar en aan de andere kant naar de hal waar de receptie zit," wees Jerry haar. „En trouwens, wat dan nog? We hebben allemaal een mobiel, dus als je ons kwijtraakt hoef je maar te bellen en we zoeken je op."

„Dat zal best nog wel eens nodig zijn," lachte Connie. „Ik snak trouwens naar iets te drinken. Die kant op?"

„Bijna goed," antwoordde Jerry terwijl hij haar meetrok de tegenovergestelde richting uit. Bij de bar, waar veel gezellige zitjes waren gemaakt, streken ze neer om bij te komen van de lange autorit. Het was er druk en een geroezemoes van stemmen vulde de ruimte. Iedereen zag er vrolijk en ontspannen uit. Judy leunde heerlijk achterover in haar stoel, met haar drankje in haar handen terwijl de andere drie over een plattegrond van het hotel gebogen zaten en bespraken wat ze konden gaan doen.

„Ik wil poolen," zei Connie enthousiast. „Weet je dat het jaren geleden is sinds ik dat heb gedaan?"

„Mooi, dan kan ik je tenminste makkelijk verslaan," pochte Jerry.

„Juich niet te hard. Connie en ik spelen samen tegen jullie, dus jullie krijgen het zwaar," meende Judy. Ze knipoogde naar Connie.

„Die uitdaging durf ik wel aan," grijnsde Arnoud. Hij en Jerry stonden op om de biljartkeus en ballen te gaan halen.

Judy grinnikte. „Kijk, dat is dus iets wat Arnoud niet van me weet, maar ik heb jarenlang zowat ieder weekend in een poolcentrum gewerkt, waar ze me het spelletje uitstekend geleerd hebben. Het is een aantal maanden geleden dat ik het voor het laatst heb gedaan, maar ik weet zeker dat ik het nog steeds in mijn vingers heb. Wedden dat ik die twee mannen makkelijk aankan? Tenslotte doen zij het ook niet wekelijks, hoewel ze de indruk willen wekken dat ze er heel erg goed in zijn."

„Ach ja, het zijn mannen," lachte Connie. „Die willen altijd beter zijn in dit soort dingen. Verneder ze maar eens flink, dan mogen ze een andere keer wel winnen met midgetgolfen of bowlen."

„Ben jij gek? Ik laat nooit iemand winnen, dat is tegen mijn principes. Daar zijn ze, kom op, Con. Niets zeggen, hoor, ik wil die gezichten wel eens zien als ze merken dat ze ingemaakt gaan worden door twee vrouwen."

Samenzweerderig lachend liepen ze achter Arnoud en Jerry aan naar de zaal waar een aantal biljarttafels stonden opgesteld. Arnoud begon direct met het air van een professional de ballen neer te leggen, ondertussen in het algemeen uitleggend hoe het spel in zijn werk ging.

„Dus ik moet nu zo'n effen bal in het netje stoten?" vroeg Judy naïef nadat Jerry de eerste stoot had gedaan.

„Het hoeft niet per se een effen bal te zijn," legde hij geduldig uit. „Er is namelijk nog geen bal gepot door mij, dus je kunt nog kiezen. Kijk, die gestreepte bal daar ligt er makkelijk voor, die kun je het beste proberen."

„Hm." Met een kennersblik overzag Judy het groene laken. „Ik ga toch maar voor die oranje."

„Die is lastig, hoor," vond Arnoud het nodig om te waarschuwen. „Dan moet je de stootbal namelijk eerst via de band spelen."

„Op deze manier, bedoel je?" Judy richtte haar keu op de witte bal en even later zagen ze alle vier hoe die via de band de oranje bal raakte, waarna die vervolgens keurig in de pocket rolde.

„Deed ik het zo goed?" vroeg ze onschuldig.

„Beginnersgeluk," bromde Jerry. „Schiet op, je mag nog een keer."

„Echt waar?" Weer die onschuldige blik. Connie moest moeite doen om haar lachen in te houden. „Dus eigenlijk zou ik in één keer het hele spel uit kunnen spelen? Daar is ook weinig aan voor jullie."

Arnoud en Jerry barstten in lachen uit. Troostend sloeg Arnoud even zijn arm om de schouder van zijn vriendin heen. „Probeer het maar, schatje, maar wees niet al te teleurgesteld als het je niet lukt," zei hij minzaam.

Het lachen verging ze echter snel toen Judy trefzeker de ene na de andere bal in de daarvoor bestemde pockets stootte. Pas na vijf ballen miste ze er eentje, waardoor haar beurt voorbij was. Arnoud en Jerry keken inmiddels lang zo vrolijk niet meer. Jerry's gezicht versomberde, terwijl Arnoud vol bewondering naar zijn vriendin keek.

„Schooier," zei hij geamuseerd. „Dit is beslist niet de eerste keer dat jij een keu in je handen hebt."

„Valt dat op?" Judy begon hard te lachen. „Sinds ik jou ken heb ik eigenlijk heel weinig gedaan, maar ik ben iemand die van dit soort spellen houd. Ik vind het heerlijk en ben eigenlijk best wel fanatiek."

„Wat kan je nog meer?" wilde Arnoud weten.

„Nou, behalve poolen doe ik graag aan bowlen, darten en midgetgolfen," vertelde Judy. „Een vriendin van me werkt op een complex waar diverse soorten midgetgolfbanen zijn en daar kom ik regelmatig."

„Al die sporten kun je hier in het hotel ook beoefenen," wist Jerry. „Het ziet ernaar uit dat dit sportieve en competitieve dagen gaan worden, want wij laten ons ook niet onbetuigd natuurlijk."

„Er is geen sprake van een competitie, ik win gewoon alles," zei Judy zelfverzekerd. Het hoongelach dat op deze woorden volgde leek haar niet te deren.

Ze speelden nog een aantal spelletjes, waarvan de mannen er twee wonnen en de vrouwen vier, daarna togen ze naar de eetzaal voor het diner, dat bestond uit diverse warme en koude buffetten. Het zag er overheerlijk uit en ze waren dan ook alle vier voldaan toen ze na het eten in de koffiezaal neerstreken voor een kop koffie.

„Ik vind het hier fantastisch," verzuchtte Connie. „En dit is nog maar pas onze eerste dag. We zullen ons hier zeker niet vervelen, denk ik. Ik vrees alleen dat ik tonnetje rond terugkom na die vier dagen. Het eten was bijzonder lekker en als het ontbijt en de lunch ook zo overvloedig zijn kom ik kilo's aan."

„Dat sporten we er wel weer af," troostte Judy haar. „We kunnen straks wel een uurtje gaan bowlen."

„Of zwemmen," riep Connie.

„Zwemmen?" Judy trok een vies gezicht. „Dat is iets waar ik nooit de lol van ingezien heb. Ik vind het vreselijk om rond te spartelen in dat koude water. Van die chloorlucht word ik trouwens altijd misselijk. Nee, mij niet gezien."

„Echt niet? Het zwembad hier is verwarmd, volgens de brochure. Op de foto's ziet het er trouwens schitterend uit," zei Arnoud teleurgesteld. Hij was geen echte zwemfanaat, maar hield er wel van op zijn tijd.

„Ik heb niet eens een badpak," bekende Judy.

„Die kun je hier kopen in het winkeltje," wist Connie.

Judy schudde echter beslist haar hoofd. „Ik ga voor mijn verdriet nog niet vrijwillig in een zwembad liggen," beweerde ze stellig. „Maar als jullie willen gaan moet je dat beslist doen. Ik vermaak me wel, daar hoef je niet bang voor te zijn."

„Ik hou ook niet van zwemmen," deed Jerry nu een duit in het zakje. „Dus als jullie willen gaan, kunnen wij samen wel iets anders doen. We zijn tenslotte niet verplicht om alles met zijn vieren te ondernemen, we zitten hier allemaal voor ons ple-zier."

„We zien wel," meende Arnoud luchtig. „Zo belangrijk is het nu ook weer niet. We kunnen straks inderdaad gaan bowlen of gaan dansen. Er is hier 's avonds toch live muziek?" wendde hij zich tot Jerry, de enige die hier al eerder was geweest.

Die knikte bevestigend. „In de grote zaal. Er is daar een enorme dansvloer en uiteraard ook weer een bar. Ik voel persoonlijk wel iets voor een dansje."

Zo werd er eenparig besloten de avond door te brengen in de danszaal. Het bandje dat die avond optrad had de stemming er al snel in en iedereen vermaakte zich dan ook opperbest. Moe van alle indrukken van die dag en van het dansen schoof Connie die nacht onder haar dekbed. Ze viel bijna direct in slaap, maar niet voordat ze dankbaar had gedacht hoe gelukkig ze was. Dit hotel was fantastisch en de sfeer tussen hen onderling kon niet beter. Op deze manier konden het alleen maar geweldige dagen worden.

Ze werd niet teleurgesteld in die verwachtingen. Hun vakantie was weliswaar kort, maar bijzonder geslaagd. Op een wandeling in de omgeving na kwamen ze het hotel niet uit, maar ze verveelden zich geen moment. De maaltijden waren een hoogtepunt op zich en behalve de diverse sporten en spelletjes die ze deden, genoten ze er ook van om zomaar een paar uur ergens in de koffiezaal of bij de bar te zitten en te kletsen.

Aan gespreksstof hadden ze geen gebrek en ze leerden elkaar steeds beter kennen op deze manier. Er viel geen enkele wanklank tussen hen en mede daarom voelden de stellen onderling niet de behoefte om iets apart te ondernemen. Op de nachten na brachten ze dan ook iedere minuut met zijn vieren door, zonder dat dit tot problemen leidde. Ze zaten aardig op één lijn en de discussies die losbarstten als iemand er een andere mening op nahield, liepen nooit zo hoog op dat het de goede sfeer beïnvloedde. De dagen vlogen dan ook om.

„Morgen alweer naar huis," mijmerde Connie op hun laatste middag. Ze dronken iets in de bar voordat ze naar de eetzaal zouden gaan voor het diner. „Nog één avond en dan zit het er weer op, jongens."

„Doe niet zo somber," verzocht Judy haar. „Het is nu net vijf uur, dus er scheiden ons nog zo'n achttien uur van ons vertrek. Die uren ga je niet chagrijnig doorbrengen, hoor."

„Ik doe mijn best, maar ik kan wel janken bij het idee dat het al om is. En dan heb ik nog niet eens het zwembad vanbinnen gezien."

„Er is anders niemand die je tegengehouden heeft om te gaan zwemmen," meende Judy nuchter.

„Zullen we straks gaan?" stelde Arnoud voor.

„Ik wil wel, maar echt gezellig is dat natuurlijk niet voor onze laatste avond," aarzelde Connie.

„Het zwembad is tot tien uur open, dus daarna hebben we nog tijd genoeg om met zijn vieren te gaan dansen. Gaan jullie maar lekker zwemmen, hoor. Dan ga ik Judy in die tijd even leren hoe ze moet poolen," zei Jerry.

Ze stak ongegeneerd haar tong naar hem uit. „Volgens mij draai je de zaken nu om," hoonde ze. „Maar voor een redelijk uurtarief wil ik je wel wat tips geven."

„Is een drankje ook goed?" vroeg Jerry opstaand. „Het is niet dat het hier zo warm is, maar je blijft drinken. Ik heb alweer dorst."

Hij liep weg en kwam even later terug met twee glazen wijn voor de dames, een cola met rum voor Arnoud en een pure cola voor zichzelf. In tegenstelling tot de anderen in het gezelschap had hij al die dagen nog geen druppel alcohol gedronken. Hij zette het glas aan zijn mond en dronk het gretig in één teug voor de helft leeg voor hij tot de ontdekking kwam dat hij het verkeerde glas had. „Jij hebt de mijne," zei hij tegen Arnoud. „Ik zal even een nieuwe voor je halen. Deze smaakt trouwens prima. Het is lang geleden dat ik cola met rum heb gedronken."

„Dan neem je er toch nog eentje," vond Connie onbezorgd. Jerry had haar wel gewaarschuwd dat hij niet goed tegen drank kon, maar dat was iets waar ze zich weinig bij voor kon stellen.

„Doe mij dan ook nog maar een wijntje." Judy schoof haar inmiddels alweer lege glas naar hem toe.

„Je hebt er al een aantal op," vond Arnoud het nodig om haar te waarschuwen.

„Niet zeuren, het is vakantie. We moeten toch nog eten," wuifdef Judy dat bezwaar weg.

Ze bleven gezellig nog een uurtje zitten voor ze naar de eetzaal gingen. Jerry was na zijn drie drankjes drukker dan gewoonlijk, maar voor de rest kon Connie weinig vreemds aan hem ontdekken. Ze stelde dan ook voor om na het eten niet meteen naar de koffiezaal te vertrekken, zoals ze dat tot hun gewoonte hadden gemaakt, maar om nog even in het restaurant te blijven en daar een Irish Coffee te nuttigen, die iedereen die daar trek in had zelf klaar kon maken.

Jerry trok een bedenkelijk gezicht. „Dat lijkt mij niet verstandig. Voor mezelf tenminste. Ik denk dat ik het maar bij gewone koffie hou."

„Hè, doe niet zo ongezellig. Er is toch niets aan de hand?" drong Connie aan.

„Nog niet. Ik voel die rum echter al in mijn benen."

„Als het daarbij blijft, valt het wel mee," plaagde Connie hem. „Wedden dat je vanavond veel beter danst dan gewoonlijk?"

„Ik kan nou eenmaal niet goed tegen alcohol, dat weet je."

„Ik merk anders helemaal niets aan je, dus dat zal wel meevallen. Allemaal Irish Coffee dan maar?" Samen met Judy liep ze naar de bar in het midden van de eetzaal, waar alle benodigdheden klaar stonden. Met royale hand schonk ze de whisky in de daarvoor bestemde glazen.

Het smaakte hun prima en niemand protesteerde dan ook toen Arnoud na een kwartiertje opstond om de glazen nogmaals te vullen. Ze proostten op alles wat hun te binnen schoot en lachten om niets.

„Volgens mij ben ik dronken aan het worden," giechelde Judy uitbundig.

„Drink maar goed door, dan raak je straks geen enkele bal," lachte Jerry. „Kan ik je tenminste ook eens verslaan." Hij wankelde even bij het opstaan en Connie haastte zich om hem vast te pakken.

„Die tweede had je misschien toch beter niet kunnen nemen," merkte ze bezorgd op.

Jerry lachte haar echter uit. „Ik voel me nog prima," verzekerde hij haar. „Het gaat me zelfs steeds beter smaken. Maar het lijkt me inderdaad beter dat ik vanaf nu weer gewoon aan de frisdrank ga. Voorlopig heb ik wel weer genoeg alcohol op."

Connie slaakte onmerkbaar een zucht van verlichting. Ook al had ze nog niets gemerkt van de vreemde effecten die de alcohol volgens Herry op hem had, ze was toch blij dat hij verstandig genoeg was om te bepalen wanneer hij genoeg had. Even was ze bang geweest dat hij geen maat kon houden nu hij de smaak weer eenmaal geproefd had. Ze had weliswaar geen flauw idee waar hij allemaal toe in staat was als hij echt dronken was, maar ze voelde ook niet de behoefte om daarachter te komen. Dronken mannen vormden over het algemeen niet het beste gezelschap. Gelukkig had ze zich zorgen gemaakt om niets, er was niets met Jerry aan de hand. Hij praatte wat drukker dan normaal en lachte wat luider, dat was alles. Volkomen gerustgesteld liet Connie hem dan ook achter in de koffiezaal terwijl zij zelf naar hun kamer ging om haar zwemspullen te pakken. Hij was tenslotte niet alleen. Judy bleef bij hem, dus er kon niets gebeuren.

HOOFDSTUK 9

Er hing een bedompte, zware lucht in het zwembad, maar eenmaal in het warme water hadden Connie en Arnoud daar geen last meer van. Ze lieten zich heerlijk drijven op de kunstmatige stroming, trokken wat baantjes in het diepere gedeelte en genoten van de wildwaterbaan. Moegezwommen gingen ze naar de zwemmersbar om iets te drinken.

„Wat een zaligheid," zei Connie intens tevreden. „Als ik dit had geweten was ik toch iedere dag even gegaan. Jammer dat Judy en Jerry hier niet van houden."

„Je kunt nu eenmaal niet alles hebben. Het is hier anders wel heerlijk vertoeven. Kom op, Con, dan duiken we er nog een keertje in. Het is pas half negen, we hebben geen haast."

„Ik blijf hier zeker tot sluitingstijd," nam Connie zich bij voorbaat voor.

Even later liet ze zich in het hete bubbelbad zakken. Dit was pas echt vakantie! Genietend sloot ze haar ogen terwijl de warme waterstralen hun werk deden op haar lichaam. Totaal ontspannen gleden haar gedachten naar haar vriend en haar vriendin. Die waren nu vast en zeker te vinden in de biljartzaal, verwikkeld in een sportieve strijd boven het biljartlaken. Ze hoopte dat ze het naar hun zin hadden.

Judy en Jerry waren inderdaad van plan om te gaan biljarten, maar alle tafels bleken bezet te zijn.

„Dan eerst maar een drankje," besloot Judy. „Dan gaan we daar op de bank zitten wachten tot er iemand stopt." Bij de bar haalde ze iets te drinken voor hen en gezeten op de ronde, zachte hoekbank wachtten ze hun beurt af.

„Op onze vakantie," zei ze, haar glas naar hem omhoog houdend.

„Ja, proost." Hij nam een grote slok en verslikte zich bijna. „Er zit rum in."

„Dat vond je toch lekker?"

„Heerlijk, maar waarschijnlijk niet verstandig. Ik heb al aardig wat op."

„Ben je gek, drie glazen op zijn hoogst," lachte Judy onbekommerd.

„En twee Irish Coffee," hielp hij haar herinneren.

„Dat is nog niks. Je moet je niet zo druk maken. We zijn vrij en we hebben plezier, daar gaat het om. Een drankje meer of minder maakt heus niet uit."

Jerry zweeg. Hij voelde zich draaierig worden, maar zei daar niets van. De laatste keer dat hij te veel gedronken had, had hij een totale black-out gehad, wist hij. Niet dat hij zich daar zelf iets van kon herinneren overigens, maar de wilde verhalen van zijn vrienden zeiden genoeg. Hoewel, misschien hadden die het ook wel vreselijk overdreven. Goed, hij was eventjes van de wereld af geweest, maar daar hadden wel meer mensen last van als ze te veel op hadden. Hij was daar heus geen uitzondering op, hield hij zichzelf voor. De alcohol in zijn bloed begon zijn werk te doen. Hij voelde zich plezierig licht in zijn hoofd, het leek wel of hij zweefde. De hele wereld leek naar hem te lachen. Plotseling voelde hij zich heel erg gelukkig. Hij had vakantie, dit hotel was fantastisch en hij was in het gezelschap van een heel leuke, aantrekkelijke vrouw. Wat kon een man zich nog meer wensen? Uitgelaten trok hij Judy naar zich toe. Judy, ook niet meer helemaal nuchter, stribbelde niet tegen. Ook niet toen zijn gezicht steeds dichter bij het hare kwam tot ze zijn warme adem kon voelen. Bijna willoos werd ze naar hem toe getrokken. Er ontsnapte haar een zachte kreun toen hun lippen elkaar raakten. In de roes van het moment vergat ze even alles om zich heen. Arnoud en Connie werden volledig uit haar gedachten gevaagd bij de storm van gevoelens die de kop opstak. Haar hersens weigerden dienst, alleen haar lichaam telde nog maar. Het lichaam dat schreeuwde om bevrediging.

Alsof het afgesproken was stonden ze op en met de armen om elkaar heen geslagen liepen ze naar de kamer van Jerry en Connie.

Denken konden ze alle twee niet meer. Er was alleen nog die alles-overheersende hartstocht waar ze aan toe moesten geven, of ze wilden of niet. Ongecontroleerd, wild, kleedden ze zich uit, waarna ze zich samen op het bed lieten vallen. Er was geen sprake van liefde of tederheid. Ze klemden zich aan elkaar vast en overlaadden elkaar met kussen. Bijna onmiddellijk drong Jerry Judy's lichaam binnen, zonder remmingen. Het duurde slechts een paar minuten, toen was het alweer voorbij. Met een diepe zucht rolde Jerry zich van haar af en bijna direct daarna viel hij in een diepe slaap. Judy hoorde hem snurken en rook de alcoholwalm die uit zijn mond kwam. Ze rilde van afschuw, zeker toen het tot haar doordrong wat er zojuist gebeurd was. De hele kamer leek om haar heen te draaien.

Had ze ... Echt ...? Ze huiverde en een golf van misselijkheid sloeg door haar heen. Dit was afschuwelijk! Hoe hadden ze dat kunnen doen? Dit had absoluut nooit mogen gebeuren. Ze had er ook geen enkele verklaring voor, behalve dan dat ze te veel gedronken hadden vandaag. Maar dat was geen excuus, wist ze meteen. Eerder een flauw smoesje. Mijn hemel, wat was er in haar gevaren? Met Arnoud had ze de beste relatie die ze zich maar kon wensen, Connie was haar beste vriendin. En toch had ze dit alles op het spel gezet voor één moment van pure lust. Zomaar, zonder ergens over na te denken en zonder zich te realiseren wat de consequenties hiervan waren.

Arnoud en Connie mochten dit nooit te weten komen, was de eerste gedachte die door haar hoofd schoot. Dan zou al het goede tussen hen vieren kapot zijn. De rest van haar leven zou ze met een leugen door moeten brengen. Die gedachte deed haar rillen van ellende, toch wist ze dat het niet anders kon. Dit slippertje opbiechten om haar eigen schuldgevoelens te ontlasten, zou ten koste gaan van Arnoud en Connie en dat mocht niet. Niemand had er iets aan als dit boven tafel kwam, het zou alleen maar een lang spoor van ellende en verdriet trekken. Dat was het niet waard, hield Judy zichzelf manmoedig voor. Klappertandend van de plotselinge, hevige kou die door haar lichaam heen trok, stapte ze uit het bed. Besluiteloos bleef ze even naar Jerry staan kijken. Waarschijnlijk was het verstandig om hem wakker te maken en hem te laten beloven dat hij nooit, maar dan ook echt nooit, iets los mocht laten over wat er zich tussen hen afgespeeld had. Ze schudde hem eerst zacht en daarna hard door elkaar, maar meer dan een luide snurk kwam er niet uit bij hem. Dit was onbegonnen werk, besefte Judy moedeloos. Jerry was zo ver heen, zelfs een kanon kon hem niet uit zijn dronken roes doen ontwaken. Zelfs als het haar wel zou lukken betwijfelde ze of er ook maar één woord tot hem door zou dringen. Ze moest er dan maar het beste van hopen en ervan uitgaan dat Jerry niet alles aan Connie zou vertellen voor zij met hem gesproken had.

In haar eigen kamer nam Judy een lange, hete douche in een poging het gebeuren van zich af te spoelen. Ze had zich nog nooit eerder in haar leven zo beroerd gevoeld, hoewel ze toch wel wat ervaring had op dit gebied. Misschien was het daar wel door gekomen, mijmerde ze onder de hete stralen. Niet dat ze een excuus zocht voor zichzelf, wel een oorzaak. Wat had haar zover gebracht dat ze zonder na te denken met Jerry mee was gegaan naar zijn kamer, wetende wat er ging gebeuren? In het verleden had ze dat regelmatig gedaan, zomaar met iemand meegaan. Sinds Arnoud in haar leven was gekomen had ze dat hoofdstuk afgesloten, toch had het nu heel vanzelfsprekend geleken. Betekende Arnoud dan toch niet zoveel voor haar als ze dacht? Nee, wist ze toch meteen heel zeker. Arnoud was alles voor haar, daarom had ze op dit moment ook zo'n hekel aan zichzelf. Ze had er alles voor over om dit ongedaan te maken, helaas was dat niet mogelijk. Het was gebeurd en ze zou er mee moeten leren leven, hoe dan ook. Vanaf nu zou ze een rol moeten spelen tegenover de persoon van wie ze het meest hield en dat was geen prettige gedachte. Het alternatief was echter nog erger. Niet alleen haar relatie met Arnoud, maar ook de relatie tussen Connie en Jerry en haar eigen vriendschap met Connie stonden op het spel. Die prijs was veel te hoog.

Bij de bar bestelde Judy een kop koffie, daarna ging ze op een centrale plek in de hal zitten, zodat ze Connie en Arnoud niet mis kon lopen als ze terugkwamen uit het zwembad. Het was kwart over negen, zag ze op de grote klok aan de muur. Ongelovig staarde ze naar de wijzers, maar iets anders kon ze er niet van maken. Kwart over negen! Dat betekende dus dat ze al het goede in haar leven op het spel had gezet voor slechts een kwartiertje pure lust. Dat besef maakte alles nog erger. Wat was nou een kwartier op een mensenleven? Helemaal niets, maar voor haar was alles in die luttele vijftien minuten voorgoed veranderd.

Als Arnoud en Connie tot sluitingstijd in het zwembad bleven, duurde het nog ongeveer een uur voor ze terug zouden komen. Dat uur vloog voorbij, hoewel Judy de tijd wel tegen had willen houden. Ze zag enorm tegen de confrontatie op en hoopte dat ze overtuigend genoeg zou kunnen liegen. Alsof dat een verdienste was, dacht ze bitter bij zichzelf.

Om tien over tien kwamen Arnoud en Connie lachend, met rode gezichten en natte haren de hal inlopen. Ze zagen er onbezorgd en gelukkig uit en Judy's hart trok samen bij het besef dat één verkeerd woord van haar dat geluk met een harde klap kapot zou maken. Omdat ze haar ongezien voorbij dreigden te lopen riep ze Arnouds naam, maar haar stem klonk zo schor dat hij het niet hoorde. Pas na de derde poging draaide hij zich om.

„Hé, zit jij hier?" zei hij overbodig. „Ik dacht dat jullie in de biljartzaal zouden zijn."

„Jerry voelde zich niet goed, hij is naar bed gegaan," rapporteerde Judy. Ze hoopte maar dat haar stem normaal klonk. Connie keek haar echter onderzoekend aan.

„Zelf zie je er ook niet al te florissant uit," merkte ze op.

„Ik heb een gigantische hoofdpijn." Dat was niet eens gelogen. „Maar Jerry was er erger aan toe, dus besloot ik hier op jullie te wachten zodat hij vast naar bed kon gaan. Ik denk dat hij inmiddels al slaapt."

„Toch te veel last van de alcohol," begreep Connie. „Hij had me al gewaarschuwd dat hij daar niet tegen kan, maar ik dacht dat het wel meeviel. Voordat wij gingen zwemmen heb ik niets vreemds aan hem gemerkt."

„Het sloeg ineens toe," zei Judy ongemakkelijk. Ze stond op en vermeed de blik van Arnoud. „Als jullie het niet erg vinden ga ik nu ook mijn bed in. Ik zie echt scheel van de hoofdpijn."

„Neem een aspirientje," adviseerde Arnoud bezorgd.

„Heb ik al gedaan." Alsof een aspirientje in dit geval zou helpen. Was het maar waar. Kon een simpele pijnstiller de pijn in haar hart maar ongedaan maken. Judy had een enorme hekel aan zichzelf. Hoewel ze erop aandrong dat Arnoud met Connie nog iets leuks moest gaan doen, vergezelde hij haar toch naar hun kamer. Connie slofte erachteraan.

„Wat vreselijk jammer van onze laatste avond," mopperde ze. „Ik had me er zo op verheugd om nog te gaan dansen. Dit is echt een domper."

„Ja, het is jammer, maar er is nu eenmaal niets aan te doen," meende Arnoud lankmoedig. „Welterusten Con."

„Slaap lekker. Beterschap Juud. Ik hoop dat je hoofdpijn snel zakt."

„Dank je." Het lukte Judy om naar Connie te glimlachen. Je moest eens weten, bonkte het door haar hoofd heen. De angst sloeg haar om het hart bij het idee dat Jerry mogelijk alles tegen haar op zou biechten. Of dat hij in zijn slaap zou praten en op die manier alles zou verraden! Haar adem stokte even. Bij die mogelijkheid had ze nog niet eerder stilgestaan.

Zo stil mogelijk, om Jerry niet te wekken, glipte Connie hun kamer in. Hij was inderdaad vast in slaap, zag ze. Zijn gesnurk vulde de hele kamer. Na een korte douche, om de chloorlucht van het zwembad van zich af te spoelen, kroop ze naast hem onder het dekbed.

Ze was moe van het zwemmen, toch kon ze de slaap niet vatten. Een onbestemd gevoel nam bezit van haar, iets waar ze de vinger niet op kon leggen. Dit was ook zo'n teleurstellend einde van een tot nu toe leuke avond. Hun laatste avond hier en in plaats van zich lekker op de dansvloer uit te leven, lag ze om half elf al in bed. In stilte verweet Connie Jerry dat hij niet simpelweg van de alcohol af was gebleven, dan was er niets aan de hand geweest. Hoewel, dan had Judy toch die hoofdpijn gehad, dacht ze toen. Dat was nu eenmaal iets waar Jerry niets aan kon doen. Ze had er trouwens echt beroerd uitgezien, Connie hoopte maar dat ze niet ziek zou worden. Zuchtend draaide ze zich op haar zij, proberend het constante gesnurk naast haar te negeren. Niemand kon er iets aan doen dat hun laatste avond in het water was gevallen, toch bleef het jammer.

Met een zwaar bonkend hoofd en het gevoel alsof hij onder een vrachtwagen was gelopen, opende Jerry voorzichtig zijn ogen. Mensenlief, wat voelde hij zich beroerd! Kreunend draaide hij zich om, daarmee Connie wekkend.
„Het gaat geloof ik nog niet best met je, hè?" vroeg ze bezorgd.
Hij schudde zijn hoofd, een gebaar waar hij meteen spijt van had.
„Ik voel me ziek. Waarschijnlijk heb ik een griepje onder de leden."
„Ik denk eerder dat je last hebt van een kater," zei Connie laconiek. Ze stapte uit bed, liet een glas water vollopen en pakte twee aspirientjes uit haar handtas, die ze hem overhandigde. „Je had hem aardig zitten gisteravond. Volgens Judy lag je al om half negen in bed."
De naam van Judy deed vaag wat alarmbellen rinkelen in Jerry's bonkende hoofd, maar hij wist niet waarom. Er was iets. Iets wat met Judy te maken had, maar wat? Hij kon het zich niet herinneren. Uit Connies woorden begreep hij dat hij dronken was geworden, ook iets wat hem niet meer bijstond.

„Heb ik te veel gedronken gisteren?" informeerde hij na het innemen van de aspirines.

„Weet je dat niet meer dan?" Connie keek hem verbaasd aan, toen begon ze te lachen. „Je hebt me wel vaker verteld dat alcohol een rare uitwerking op je heeft, maar dit had ik toch niet verwacht. Blijkbaar gaat het lampje bij jou in één keer uit."

„Dat heb ik vaker meegemaakt, ja," gaf hij zuchtend toe. „Achteraf weet ik dan helemaal niets meer. Ik hoop dat ik geen gekke dingen heb gedaan."

„Dat zal wel meevallen. Ik heb in ieder geval geen klachten over je gehad," grinnikte Connie terwijl ze onder de douche stapte.

Jerry bleef als een zombie op de rand van het bed zitten. Na de laatste keer had hij zich vast voorgenomen dat dit hem nooit meer zou gebeuren, maar blijkbaar was hij toch de mist weer ingegaan. Het was begonnen met die cola met rum gistermiddag, wist hij weer. Daarna twee Irish Coffee na het diner. Vanaf dat moment wist hij niets meer.

„Ik heb onze laatste avond grondig verpest, hè?" zei hij even later berouwvol tegen Connie. „Het spijt me."

„Dat was inderdaad erg jammer, maar Judy had ook een gigantische hoofdpijn, dus van dansen was het toch niet meer gekomen."

Judy ... Weer die naam en dat vage gevoel dat er iets met haar was. Jerry pijnigde zijn hersens, toch was de vorige avond één groot, zwart gat voor hem. Pas toen Connie hem enthousiast vertelde hoe mooi het zwembad in dit hotel was, herinnerde hij zich dat Connie en Arnoud waren gaan zwemmen en dat hij en Judy samen achtergebleven waren.

„We wilden gaan biljarten, maar alles was vol," zei hij langzaam. „Ik weet nog dat we op een van die ronde banken gingen zitten, maar dat is alles. Wat er daarna gebeurd is weet ik niet meer."

„Volgens Judy werd je behoorlijk ziek en heeft zij je naar bed gebracht," vertelde Connie onbevangen. „Ben je klaar? Dan gaan we naar de eetzaal. Na het ontbijt pak ik onze spullen wel in."

Op het moment dat ze de gang opliepen, ging ook net de deur van de aangrenzende kamer open. Judy zag er nog steeds bleekjes uit, alsof ze slecht had geslapen. Ze durfde Jerry niet aan te kijken, maar herademde toen Connie haar hartelijk vroeg of ze zich al iets beter voelde. Blijkbaar had Jerry niets gezegd.

„Nog niet al te best," antwoordde ze.

„Misschien doet een goed ontbijt wonderen," lachte Connie terwijl ze haar arm door die van Judy stak. „Weet je trouwens zeker dat het bij jou ook niet gewoon om een kater gaat? Je wist ook aardig raad met de wijn gisteren."

„Ik was niet dronken," protesteerde Judy heftig.

„Het was maar een grapje," suste Connie. Nadenkend keek ze Judy aan. Ze moest zich wel erg rot voelen als ze zo reageerde, dat was niets voor Judy.

Het ontbijt verliep gespannen. Jerry en Judy waren allebei ongewoon stil en Judy kreeg geen hap door haar keel. Ze wilde dat ze net kon doen alsof er niets aan de hand was, maar dat lukte haar niet. Af en toe wierp ze een tersluikse blik op Jerry, als ze dacht dat niemand het zag. Hij zei niet veel, maar negeerde haar niet bewust.

Op geen enkele manier had hij blijk gegeven dat hij zich rot voelde over wat er de avond daarvoor was gebeurd, terwijl zij het juist ontzettend moeilijk vond om haar houding tegenover hem te bepalen. Toen hun handen elkaar raakten omdat zij een kuipje boter aan hem overhandigde, trok ze haar vingers terug alsof ze zich verbrand had. Hij leek daar echter geen moeite mee te hebben en keek haar onbevangen aan.

Judy wist niet dat Jerry zich krampachtig probeerde te herinneren wat er was gebeurd. Er was iets en dat had met Judy te maken, zover was hij wel. Fronsend keek hij haar aan, alsof hij zo zijn hersens wilde dwingen om een beetje mee te werken. In een flits zag hij haar ineens op het bed liggen, naakt. Het moment was echter zo kort dat hij zich afvroeg of hij het zich niet verbeeldde. Verward sloeg hij zijn ogen neer. Als dat beeld op zijn netvlies klopte, dan ... Hij durfde niet verder te denken.

„Wat is er aan de hand?" vroeg Connie opeens hard. Ze legde haar bestek neer en keek van Judy naar Jerry. „Jullie gedragen je allebei niet normaal en de spanning is om te snijden hier aan tafel. Hebben jullie soms ruzie gehad gisteravond?"

„Daar probeer ik ook juist achter te komen," grapte Jerry geforceerd.

„Er is niets," haastte Judy zich tegelijkertijd te zeggen. „Ik heb gewoon nog last van die migraineaanval. Het spijt me dat ik niet gezelliger ben, maar ik voel me echt ziek."

„Daar hoef je je niet voor te verontschuldigen," zei Arnoud meteen. „Hou op, Con, je ziet toch hoe ze eraan toe is?"

„Toch is er iets," hield Connie vol.

„Misschien heb ik iets verkeerds gezegd of gedaan?" Vragend keek Jerry naar Judy. „Zeg het dan alsjeblieft gewoon, dan kunnen we het uitpraten. De hele avond is één zwarte vlek voor me."

Bedankt, dacht Judy met galgenhumor bij zichzelf. Ze had dus zo'n verpletterende indruk op hem gemaakt dat hij het niet eens meer wist. Maar waarschijnlijk was dat ook maar beter. Hoe minder mensen er van afwisten, hoe minder kans er was dat het ooit ontdekt zou worden.

„Nee hoor," antwoordde ze luchtig. „Maak je geen zorgen."

Jerry ging er verder niet op in, al wist hij diep in zijn hart dat er iets niet klopte. Hij durfde echter niet door te vragen in het bijzijn van Connie en Arnoud. Een vaag misselijk gevoel in zijn onderbuik vertelde hem dat er iets helemaal mis was. Hij was bang dat hij Judy wellicht lastiggevallen had en nam zich voor haar er zo snel mogelijk onder vier ogen naar te vragen.

Dat moment kwam een uur later. Connie en Arnoud brachten hun spullen naar de wagen terwijl Jerry de kamersleutels inleverde en Judy voor koffie zorgde in de koffiezaal. Ze wilden rustig nog een bakje drinken voor ze de terugreis aanvaardden. Jerry was eerder klaar dan Connie en Arnoud en hij trof Judy in haar eentje aan een tafel.

„Wat heb ik gisteravond gedaan?" vroeg hij zonder omwegen. „Geen smoesjes, Judy. Ik voel dat er iets is en ik heb liever dat je het eerlijk zegt. Het klinkt waarschijnlijk als een flauw excuus, maar ik kan me echt niets meer herinneren. Die uitwerking heeft alcohol nu eenmaal op me."

„Je doet wel gekkere dingen onder invloed," mompelde Judy hatelijk. „Ik praat er liever niet over."

„Maar ik wel. Als ik ..."

„St, daar komen ze. Connie en Arnoud mogen dit nooit te weten komen." Snel veranderde Judy van onderwerp, terwijl Jerry zich verbijsterd realiseerde dat haar geheimzinnige woorden maar één ding konden betekenen. Hij voelde zich duizelig worden en had nog net de tegenwoordigheid van geest om op een stoel te gaan zitten voor hij om zou vallen.

„Wat nu weer?" mopperde Connie.

„Ik eh, ik voel me nog steeds niet zo goed," zei Jerry met moeite.

„Zullen we maar naar huis gaan?"

„Ja, alsjeblieft. Zo is er ook geen lol meer aan." Connie stond al naast de tafel, ongeduldig wachtend tot de rest volgde.

De terugreis verliep totaal anders dan de heenreis. Jerry en Judy zaten er met bleke, afgetrokken gezichten bij en van de weeromstuit hielden Connie en Arnoud op een gegeven moment ook hun mond maar. Het was een triest einde van een paar gouden dagen, die gevuld waren geweest met liefde, vrolijkheid en geluk.

HOOFDSTUK 10

Na die korte vakantie veranderde er iets tussen hen vieren. Ongrijpbaar en bijna onmerkbaar, maar Connie, die altijd erg gevoelig was geweest voor sfeer, voelde het, hoewel ze niet precies aan kon geven waar het aan lag. Oppervlakkig bezien leek er niets aan de hand te zijn. Judy was, na een korte dip vlak na de vakantie, weer haar oude, vrolijke zelf en Jerry was even attent als altijd. Toch voelde ze een onderhuidse spanning. Het viel haar op dat Judy bijna nooit meer spontaan het woord tot Jerry richtte, hoewel ze normaal antwoord gaf als hij iets vroeg en ze hem zeker niet negeerde. Jerry daarentegen kon Judy juist heel broeierig aan zitten kijken, om dan op te schrikken als iemand iets tegen hem zei. Het waren maar hele kleine dingen, maar ze gaven Connie een onbehaaglijk gevoel. Ze sprak er met niemand over, zelfs niet met Arnoud, omdat ze het zelf overdreven vond. Toch kon ze het nooit helemaal van zich afzetten. Volgens haar hadden Jerry en Judy die ene avond wel degelijk ruziegemaakt samen, maar wilden ze daar niet voor uitkomen.

Ze had geen idee van de innerlijke strijd die Judy voerde. De eerste dagen na hun vakantie had ze zich te beroerd gevoeld om iemand onder ogen te komen en was ze zelfs een paar dagen niet in hun flat geweest met het smoesje dat ze koorts had en in bed bleef. Daarna had ze zichzelf streng toegesproken. Als ze zo doorging als nu, kon ze net zo goed meteen de waarheid opbiechten, realiseerde ze zich. Als ze dit geheim wilde houden, moest ze het goed doen en zo overtuigend mogelijk toneelspelen, anders had het geen nut. In ieder geval moest ze een keus maken. Of alles vertellen, met alle gevolgen van dien, of haar mond houden, maar het dan ook achter zich laten en zich niet gaan gedragen als de verpersoonlijking van het schuldgevoel. Die keus was op zich niet zo moeilijk, de uitvoering ervan wel. Ze had in ernst overwogen om volkomen eerlijk te zijn, maar de wetenschap dat die bekentenis voor vier mensen heel zware gevolgen zou hebben, hield haar tegen. Nu was zij de enige die er last van had en dat was al meer dan genoeg, oordeelde ze. De waarheid vertellen stond gelijk aan een bom gooien onder hun hechte vriendschap, daar was niemand bij gebaat. Hoe erg ze het ook vond om zo'n zwaarwegend geheim te hebben voor Arnoud en Connie, toch hield ze haar mond. In de weken daarna ging dat haar steeds beter af. De avond, of liever gezegd de luttele minuten, met Jerry vervaagden steeds meer. Af en toe kon ze zelfs net doen alsof er niets gebeurd was. Het was maar zo'n kort incident geweest, het had niets te betekenen, hield ze zichzelf keer op keer voor. Ze had Arnoud niet bewust bedrogen, evenmin als Jerry dat bij Connie had gedaan. Hij wist er niet eens meer iets van af, wat wel aangaf hoe onbeduidend het hele voorval was geweest. Met dit soort gedachten lukte het haar om zich normaal te gedragen en weer onbevangen haar vriend en vriendin tegemoet te treden.

Wat Jerry betrof had ze daar meer moeite mee. Zolang ze alleen in het gezelschap van Arnoud en Connie was kon ze prima doen alsof er niets aan de hand was, maar zodra Jerry zich bij het gezelschap voegde verstijfde er iets binnen in haar. De manier waarop hij haar aan kon kijken benauwde haar, bovendien had hij al een paar keer het gesprek op die bewuste avond gebracht als de andere twee niet in de kamer waren. Judy kapte dat iedere keer snel af, maar echt op haar gemak voelde ze zich niet meer bij hem. Als Arnoud bijvoorbeeld naar het toilet ging en Connie opstond om naar de keuken te gaan, volgde ze haar snel, om te vermijden dat ze alleen met Jerry in de kamer achterbleef. In tegenstelling tot Arnoud had Jerry dat zelf heel goed door. Hij was zich ervan bewust dat Judy hem meed en wilde weten waarom. Dat er iets gebeurd was die avond was wel duidelijk, maar hij wist nog steeds niet precies wat. Gek werd hij van het piekeren. Soms kwamen er vage, onduidelijke flitsen naar boven, maar nooit genoeg om zijn herinnering compleet te maken. Wat hij vreesde durfde hij amper uit te spreken, hij wist echter dat hij geen seconde rust meer zou hebben zolang de waarheid niet boven tafel kwam. Hij moest met haar praten, hoe dan ook.

Op een avond zag hij zijn kans schoon. Judy, die minstens vijf nachten per week bij Arnoud bleef slapen, zou die avond naar haar eigen kamer teruggaan omdat ze daar papieren had liggen die ze de volgende ochtend bij een vroege vergadering nodig had.

„Ik ga zo ook naar huis," zei hij meteen zodra hij dat hoorde. „Dus je kunt met mij meerijden, dan hoeft Arnoud er niet meer uit."

„Ik dacht dat jij vannacht bleef," merkte Connie teleurgesteld op.

„Dat was ook eigenlijk wel mijn bedoeling, maar ik krijg een collega te logeren," verzon hij snel. „Hij heeft een vrijgezellenfeestje in dat café bij mij om de hoek, vandaar. Nu kan hij vannacht zijn auto laten staan en eerst zijn roes uitslapen voor hij morgenochtend naar zijn eigen huis rijdt." Hij lachte geforceerd. „Ik moet er dan wel zijn om hem binnen te laten, want hij heeft geen sleutel van mijn etage."

„Ga dan maar niet te laat weg," zei Judy kalm. „Ik heb me overigens bedacht, want ik heb helemaal geen zin om nu naar mijn eigen kamer te gaan. Ik sta wel een kwartiertje eerder op morgenochtend en dan haal ik die papieren op weg naar mijn werk wel op."

„Dan moet je helemaal omrijden en twee keer overstappen."

„Dat is jouw probleem toch niet?" Uitdagend boorden haar ogen zich in de zijne en Jerry begreep dat hij er beter niet verder op in kon gaan als hij geen argwaan wilde wekken. Voor zijn fatsoen moest hij nu wel weggaan, want hij kon nu moeilijk bekennen dat het verhaal van zijn collega een smoes was geweest. Zichzelf verwensend stapte hij een half uur later in zijn auto. Dit werd echt te gek. Judy deed zo duidelijk haar best om niet alleen met hem te hoeven zijn dat het bijna belachelijk werd. Zijn angst om wat er gebeurd kon zijn werd daardoor alleen maar groter.

De volgende dag nam hij een kloek besluit. Zijn werkdag in de autoshowroom duurde altijd tot zes uur, maar nu nam hij twee uur eerder vrij om Judy bij haar werk op te wachten. Ruim een half uur te vroeg stond hij in een portiek tegenover het kantoor waar ze werkte. Het regende en hij had het koud, maar dat had hij er wel voor over. Eindelijk, na drie kwartier, zag hij haar de brede deuren uitkomen, samen met een andere vrouw. Ze bleven staan en zeiden iets tegen elkaar, daarna gingen ze, tot zijn grote opluchting, allebei een andere kant uit.

Met grote passen liep hij achter Judy aan en nog voor ze de hoek van de straat bereikt had haalde hij haar in.

„We moeten praten," zei hij kort. Door de zenuwen die door zijn lijf gierden klonk zijn stem snauwerig en hard en ze week even uit.

„Ik heb je niets te zeggen," zei ze strak.

„Maar ik jou wel." Hij pakte haar bij de mouw van haar jas, om te voorkomen dat ze er onverhoeds vandoor zou gaan. „Alsjeblieft," zei hij toen. „Vertel me wat er tussen ons gebeurd is. Ik word gek van het piekeren en de angst slaat me om het hart als ik me probeer voor te stellen wat ik mogelijk gedaan heb. Ik moet het weten Judy." Hij haalde diep adem en gooide er toen bruusk uit: „Heb je verkracht?"

„Hoe kom je daar nou bij?" Ontzet staarde ze hem aan. Judy begreep dat een eerlijk gesprek tussen hen nu onvermijdelijk was. Ze had er geen flauw benul van gehad dat hij dergelijke dingen dacht, anders was ze wel eerder de confrontatie met hem aangegaan. „Was het maar waar, zou ik bijna zeggen," zuchtte ze. „Dan had ik tenminste alle schuld op jou kunnen schuiven."

Jerry herademde. Zijn ergste nachtmerrie kwam dus niet uit, al bewezen Judy's woorden wel dat hij niet helemaal vrijuit ging.

„Maar we hebben wel ...?"

Ze knikte en zuchtte nog een keer. „We zijn ontzettend stom geweest, ja. Jij hebt nog het excuus dat je door de drank niet wist waar je mee bezig was, maar ik ... Nou ja, ik heb dat excuus niet."

„Ik zou mijn alcoholgebruik ook niet als verzachtende omstandigheid willen benoemen. Tenslotte weet ik heel goed welke uitwerking dat op me heeft, toch heb ik het niet laten staan. Mijn hemel, Juud, wat een puinhoop! Hoe hebben we dat kunnen doen?"

„Dat vraag ik me ook al weken af, ja. Ik heb gewoon een hekel aan mezelf."

„En aan mij," begreep Jerry.

„Dat wil ik niet zeggen. Ik geef vooral mezelf de schuld."

„Welkom bij de club," zei hij bitter. Met een vermoeid gebaar wreef hij over zijn voorhoofd. „In ieder geval ben ik blij dat ik je nergens toe gedwongen heb. Dat idee bleef maar door mijn hoofd heen spoken, vooral omdat ik merkte dat jij me begon te ontwijken."

„Ik heb er moeite mee om mijn houding tegenover jou te bepalen," bekende Judy.

„Daar kan ik me nu wel iets bij voorstellen, ja. Kom, laten we ergens een kop koffie gaan drinken. We staan hier weg te regenen."

Jerry trok haar mee een klein restaurantje in en even later zaten ze tegenover elkaar aan een klein hoektafeltje, allebei driftig in hun koffie roerend, hoewel Judy haar koffie altijd zwart zonder suiker dronk. Dat draaien met een lepeltje in haar kopje gaf haar tenminste iets te doen, want ze durfde Jerry nog steeds niet goed aan te kijken. Het was een vreemd idee dat ze samen zo intiem waren geweest, al had het dan maar heel kort geduurd. Ze kon zich achteraf absoluut niet meer voorstellen dat er een moment was geweest dat ze naar hem verlangd had en dat die lust zelfs zo hoog was geweest dat ze zich er zonder bedenkingen aan had overgegeven.

Ze vond Jerry aardig en absoluut niet lelijk, maar ze voelde zich niet tot hem aangetrokken, zeker niet lichamelijk. In haar ogen haalde hij het niet bij Arnoud. Met pijn in haar hart dacht ze aan de eerste avond dat Jerry in de flat op bezoek was gekomen. Zij en Connie hadden er toen nog een grapje over gemaakt dat zij, Judy, met haar handen van Jerry af moest blijven. Toen had het absurd geleken dat ze ooit zoiets zou doen. Ze bleek zichzelf echter zeer slecht te kennen, want bij de eerste de beste keer dat ze de gelegenheid hadden was het raak geweest. Of mis, net hoe je het bekeek.

„Mis, daar bestaat geen twijfel over," zei Jerry somber toen ze haar gedachten onder woorden bracht. „Ik kan mezelf wel slaan, weet je dat? Nooit drink ik meer een druppel alcohol, mijn hele leven niet meer," bezwoer hij zichzelf.

„Dat helpt ons nu niet," merkte Judy nuchter op. Ze merkte tot haar eigen verbazing dat het haar opluchtte om er openlijk met Jerry over te praten. Ze had verwacht dat een gesprek de hele situatie juist nog moeilijker zou maken, maar het tegendeel bleek waar te zijn. Uit angst voor ontdekking had ze het tegen niemand verteld en het was prettig om nu even niet te doen alsof. „Wat gaan we doen?"

„Niets, vrees ik. We kunnen de tijd helaas niet terugdraaien, hoewel dat het enige is wat ik echt zou willen. Heb jij nooit overwogen om het aan Arnoud te vertellen?" vroeg Jerry.

„Constant," knikte Judy. „Maar daar zou niemand iets mee opschieten."

„Waarschijnlijk zou het je wel opluchten."

„Ten koste van wat?" zei Judy spits. „Mijn geweten is dan schoon, ja, maar ik stort drie mensen in het ongeluk, buiten mezelf. Dat was het niet waard. We moeten het zien te beschouwen als een eenmalig incident, iets wat los staat van onze relaties. Dat is de enige manier om ermee om te kunnen gaan."

„Ik denk dat je gelijk hebt, maar het blijft moeilijk. Tot nu toe wist ik nog niets concreets, dus kon ik makkelijk mijn mond tegen Connie houden. Nu weet ik het wel en dat maakt het anders," zei Jerry bedachtzaam. „Nu moet ik echt gaan liegen."

„Nee, je moet gewoon je mond houden." Judy, op van de zenuwen, zette met een klap haar kopje terug op het schoteltje, zodat de mensen aan het tafeltje achter hen verschrikt omkeken. Ze merkte het niet eens. „Er is niets veranderd vergeleken bij gisteren of vorige week, alleen maar voor je gevoel. Als ze erachter komen is alles kapot. Jullie relatie, onze relatie, mijn vriendschap met Connie, alles."

„Oké, ik zeg niets," beloofde Jerry. „Ik wil Connie niet kwijt, daar heb ik alles voor over. Toch ben ik blij dat we even gepraat hebben en dat ik het nu weet, al maakt het alles bepaald niet makkelijker. In ieder geval kunnen wij weer gewoon tegen elkaar doen nu de lucht tussen ons gezuiverd is."

„Ja, nu hoef je tenminste geen smoesjes meer te verzinnen om alleen met me te zijn, zoals gisteravond," merkte Judy ironisch op. Jerry begon te lachen. „Viel het op? Die logerende collega toverde ik heel snel uit de lucht, om mijn vertrek aannemelijk te maken. Ik had zwaar de ziekte in toen ik daarna niet anders kon doen dan weggaan."

„En je hebt ervoor gezorgd dat ik een uur vroeger op moest staan," grinnikte Judy. „Nog bedankt daarvoor."

„Eigen schuld, had je maar eerder met me moeten praten," zei Jerry meedogenloos terwijl hij de ober wenkte om af te rekenen. „Bedankt dat je eerlijk tegen me bent geweest, Judy. Het spijt me dat ik je zo overviel daarnet, maar ik kon niet anders."

„Je had ook wel gelijk, het werd tijd voor een gesprek," gaf ze toe. Ze schudden elkaar plechtig de hand. Als een stel vreemden, terwijl ze zo intiem met elkaar waren geweest, schoot het even door Judy's hoofd. Maar nee, daar moest ze niet meer aan denken. Wat gebeurd was, was gebeurd. Ze konden het helaas niet uitwissen, maar wel proberen te vergeten. Voortaan kon ze in ieder geval weer normaal tegen Jerry doen en dat was al heel wat.

Al wist hij nog lang niet alles ... Rillend en diep weggedoken in haar regenjas liep ze naar de bushalte. Het aanbod van Jerry om haar thuis te brengen had ze afgeslagen met de smoes dat ze onderweg nog wilde winkelen. Ze moest even alleen zijn nu om haar verwarrende gedachten op een rijtje te zetten. Of althans om het te proberen.

De moeheid die ze de laatste weken voelde en de misselijkheid waar ze op de gekste momenten door overvallen werd had ze eerst geweten aan de stress, maar langzamerhand begon het erop te lijken dat deze symptomen door heel iets anders veroorzaakt werden. Sinds de eerste vermoedens daaromtrent de kop opstaken werd ze vervuld van angst. Als het waar was wat ze vreesde, zou de rest van haar leven zeker op een leugen gebaseerd zijn. Het slippertje op zich was iets wat ze nog wel eens van zich af kon zetten, maar als ze inderdaad zwanger was werd het een ander verhaal. Hoewel de baby natuurlijk net zo goed van Arnoud kon zijn. Vijftig procent kans, hield Judy zichzelf voor. Zekerheid had ze nog niet, toch had ze allang uitgerekend dat de eventuele bevruchting plaats had gevonden in de week vakantie. Ze was die week trouwens twee keer de pil vergeten.

Ineens resoluut liep ze een drogisterij binnen. Het werd tijd voor zekerheid. Ze moest het weten, hoe dan ook. Ondanks dat kloeke besluit duurde het toch een hele tijd voor ze, eenmaal thuis, genoeg moed had verzameld om de test daadwerkelijk uit te voeren. Drie, vier keer las ze de aanwijzingen in de bijsluiter door en nog drong het niet tot haar hersens door. Het leek wel of er een betonnen koker om haar heen was gebouwd die belette dat ze iets in zich opnam. Het enige wat ze zich afvroeg was hoe haar leven er over enkele minuten uit zou zien. Pas in de loop van de avond zette ze zich ertoe om de test te doen. Zorgvuldig volgde ze alle aanwijzingen op, daarna legde ze het teststaafje ondersteboven op de rand van de wasbak. Drie minuten moest ze wachten. Een eeuwigheid, maar toen ze eenmaal om waren wenste ze dat het nog langer zou duren. Langzaam draaide ze het staafje om, haar hart sloeg over van schrik. Twee blauwe strepen wezen onmiskenbaar uit dat ze inderdaad zwanger was. Haar voorgevoelens hadden haar niet bedrogen.

Het werd een lange nacht voor Judy. Rusteloos liep ze heen en weer door haar kleine kamer, zich voortdurend afvragend wat ze moest doen. Haar hoofd bonsde en haar knieën trilden. De gedachte aan een abortus kwam even in haar hoofd op, maar die verwierp ze meteen weer. Ongeacht wie de vader was, dit kindje was van háár! In haar gedachten was het niet slechts een klompje cellen, maar een echt, levend kind. Ze zou het nooit over haar hart kunnen verkrijgen om het weg te laten halen, zelfs niet als ze zeker zou weten dat Arnoud niet de vader was. Die zekerheid had ze overigens niet, dus misschien zat ze hier wel te piekeren om niets. De kans dat Arnoud gewoon de vader was, wat ze vurig hoopte, was vijftig procent.

Tegen de morgen werd ze iets rustiger. Een vreemd soort gelatenheid kwam over haar. Het was nu eenmaal zo, ze kon er niets meer aan veranderen. Al was het natuurlijk wel wrang dat hele volksstammen vreemd gingen zonder noemenswaardige gevolgen en dat zij meteen de eerste keer dat ze iets deed wat niet door de beugel kon, zwanger raakte.

Ze moest zo snel mogelijk met Arnoud praten, nam ze zich voor. Hij zou uiteraard direct als vaststaand feit aannemen dat hij de vader was en zij zou hem zeker niet tegenspreken. Als na de bevalling bleek dat het kind van Jerry was, kon ze altijd nog kijken wat ze ging doen. Ze besloot zich in ieder geval geen zorgen te maken voor die tijd, dat had geen nut.

Judy was zich ervan bewust dat ze steeds verder verstrikt raakte in het net van leugens, maar voor haar gevoel kon ze niet anders. Als ze eerlijk had willen zijn, had ze het meteen op moeten biechten, nu was het te laat. Ze kon Arnoud onmogelijk vertellen dat ze zwanger was en er gelijk op laten volgen dat de kans bestond dat dit kind niet het zijne was. Nu had ze er spijt van dat ze niet direct alles verteld had, hoewel ze diep in haar hart wist dat ze nog steeds volledig achter dat besluit had gestaan als ze niet in verwachting was geraakt. Waarom moest haar dit nou weer overkomen? In het verleden had ze wel vaker een scheve schaats gereden zonder dat het gevolgen had gehad, maar net nu ze de man van haar leven ontmoet had overkwam haar dit.

Terwijl de zon langzaam opkwam liet Judy haar tranen de vrije loop. Ze had veel dingen verkeerd gedaan in haar leven, wist ze, maar er was maar één ding waar ze echt diepe spijt van had. Dat slippertje met Jerry had nooit mogen gebeuren.

HOOFDSTUK 11

Iedere dag nam Judy zich voor om Arnoud te vertellen wat zich in haar lichaam voltrok, maar evenzovele keren stelde ze het weer uit. Er leek nooit een goede gelegenheid voor te zijn. Het gebeurde een paar keer dat ze op het punt stond om het te zeggen, maar dat ze gestoord werden door Connie of door de telefoon. Een andere keer had Arnoud het zo druk met enkele problemen in de lunchroom dat ze hem niet extra wilde belasten en een volgende keer had hij hoofdpijn en vroeg hij met een vertrokken gezicht of het echt nodig was toen ze aangaf dat ze met hem wilde praten.

„Nee hoor, het heeft geen haast. Knap eerst maar lekker op," zei Judy nonchalant. Diep in haar hart was ze allang blij met dit uitstel, al begreep ze heel goed dat uitstel in dit geval geen afstel betekende. Als ze nog langer wachtte, zou hij het vanzelf aan haar zien, dacht ze met galgenhumor. Misschien moest ze het daar inderdaad maar op aan laten komen, dat bespaarde haar in ieder geval het zoeken naar woorden. Ze was bang voor Arnouds reactie, al kon hij onmogelijk weten dat dit kindje wellicht niet van hem was. Ze hadden echter nooit veel gepraat over dit onderwerp. Judy had zich wel eens laten ontvallen dat ze graag drie kinderen wilde, maar Arnoud was daar nooit serieus op ingegaan. Eigenlijk wist ze niet eens zeker of hij wel een gezin wilde stichten, wat de opgave om hem van haar zwangerschap te vertellen een stuk moeilijker maakte.

Een paar weken na het uitvoeren van de test kwam er eindelijk een gelegenheid die ze niet voorbij kon laten gaan. Jerry nam Connie mee uit eten en Arnoud en Judy hadden die avond de flat voor henzelf. Die avond moest het gebeuren, nam Judy zich vastberaden voor. Het gebeurde vrijwel nooit dat ze samen thuis waren, dus deze kans mocht ze niet laten lopen. Niet dat Connie en Jerry voortdurend op hun lip zaten, maar ze waren er wel bijna altijd. Ook als ze zich samen teruggetrokken hadden in Connies kamer voelde Judy hun aanwezigheid en dat was niet echt een goede voorwaarde voor zo'n intiem gesprek.

Omdat ze die avond moest overwerken arriveerde ze pas tegen half acht in de flat. Ze had zich mentaal voorbereid op het komende gesprek en was er helemaal klaar voor.

„We moeten praten," viel ze dan ook met de deur in huis. „Ik moet je iets vertellen."

„Kan dat straks?" vroeg Arnoud. Hij nam haar in zijn armen en kuste haar, daarna trok hij haar mee naar de huiskamer. De grote tafel was feestelijk gedekt, talloze kaarsen zorgden voor een zachte verlichting en heerlijke geuren kwamen haar vanuit de keuken tegemoet. „Ik heb een romantisch diner voor twee bereid," verklaarde hij trots.

„Waarom?" vroeg Judy volkomen van haar stuk gebracht. Arnoud was een schat van een man, maar hij behoorde niet tot de romantische types op aarde, met zijn nuchtere kijk op het leven.

„Omdat ik van je houd," was zijn simpele verklaring. „Ik weet dat ik dat vaker zeg, maar eigenlijk laat ik het nooit echt merken. Ik wilde je graag eens verrassen."

De tranen van ontroering sprongen in haar ogen en ze veegde ze wild weg. Tegenwoordig jankte ze om alles.

„Wat lief van je," snufte ze.

„Als het dringend is wat je me moet vertellen kan dat natuurlijk ook eerst. Dan zet ik het gas even laag en de oven uit."

„Nee, nee," zei Judy haastig. Ze sloeg haar armen om zijn hals en kuste hem innig. „Eerst eten, praten kan altijd nog. Daar hebben we de hele avond voor."

„Hm, eigenlijk had ik iets heel anders in gedachten," plaagde hij.

„Begrijp ik uit die woorden dat je dit etentje alleen maar hebt klaargemaakt om mij te verleiden?"

„Natuurlijk, waarom anders?" antwoordde hij quasi-onnozel.

„Dat was dan een prima idee van jou," vond Judy tevreden.

Lachend, zoenend en elkaar plagend namen ze plaats aan tafel, nadat Arnoud het eten opgediend had. Op dat moment voelde Judy zich volmaakt gelukkig en lukte het haar zelfs even om haar loodzware geheim te vergeten. Het was zo perfect tussen hen, ze kon zich nu niet meer voorstellen dat ze zich zorgen had gemaakt over Arnouds reactie. Hij was er vast dolblij mee. Dat de baby misschien niet van hem was, was iets waar ze niet meer aan wilde denken. Als ze hem straks vertelde van haar zwangerschap, zouden ze samen nog gelukkiger zijn dan nu al het geval was. Ineens verheugde ze zich enorm op de komende maanden, waarin haar buik zou gaan groeien en ze zich samen zouden verheugen op de geboorte van het kind. Hun kind.

Ook Jerry en Connie hadden het naar hun zin in het exclusieve restaurant waar hij haar mee naar toe had genomen. De enkele keren dat ze tot nu toe uit eten waren geweest, hadden ze dat gedaan in kleine restaurantjes, waar het eten weliswaar goed was, maar die niet bepaald in de Michelingids vermeld stonden. Dit keer was dat anders. De gerechten die op de menukaart vermeld stonden hadden onuitspreekbare Franse namen en de wijnen die erbij geserveerd werden waren niet bij de slijterij om de hoek te koop.

Opgewonden vroeg Connie zich af of Jerry een speciale reden had voor dit uitje. Hun relatie leek zich te verdiepen de laatste tijd. Hij was ineens attenter, zorgzamer en liever voor haar dan ooit, terwijl hun relatie daarvoor een stuk oppervlakkiger geweest was. Leuk en gezellig, maar niet echt diepgaand. Jerry had haar nog niet het gevoel gegeven dat hij echt honderd procent voor haar ging, een gevoel dat ze de laatste tijd wel had. Stiekem droomde Connie dan ook al over een gezamenlijke toekomst, die nu heel dichtbij leek. Als Jerry haar die avond een huwelijksaanzoek zou doen, zou haar antwoord 'ja' zijn, wist ze. Eigenlijk was ze daar al half en half op voorbereid. Welke andere reden zou hij hebben om haar mee te nemen naar zo'n duur restaurant? Ze was niet jarig en voor zover zij wist was er ook geen andere aanleiding om iets te vieren. Dat zijn motief schuldgevoel was en hij alles wilde doen om dat rotgevoel kwijt te raken, kwam geen seconde in haar op.

De maaltijd verliep in een uitstekende sfeer, hoewel Jerry geen aanstalten maakte om datgene te doen waar Connie diep in haar hart op hoopte.

„Dit was heerlijk," verzuchtte ze na het hoofdgerecht, dat ze alle eer had aangedaan. Voldaan leunde ze achterover in de comfortabele stoel. „Het heeft toch wel iets, die luxe." Zo onopvallend mogelijk keek ze om zich heen naar de in keurige pakken gestoken mannen en chic geklede vrouwen die het etablissement bevolkten. Er hing een bijna plechtige sfeer, die extra benadrukt werd door de onberispelijke obers. Hoewel het redelijk druk was, waren er bijna geen geluiden te horen. Dit was blijkbaar niet het soort restaurant waar mensen luidruchtige gesprekken voerden of hardop lachten, oordeelde Connie nuchter. Het viel haar op dat het merendeel van de gasten van middelbare leeftijd of ouder was. „Wij zijn zo'n beetje de jongsten hier," zei ze zacht. „Vreemd."

„Dat komt omdat mensen van onze leeftijd, met een normale baan en misschien zelfs een paar kinderen, zich dit niet kunnen veroorloven," fluisterde Jerry terug. „Mijn bankrekening piept en kreunt bij de gedachte aan de rekening die ik straks voorgeschoteld krijg."

„Je bent gestoord," giechelde Connie. „Waarom doe je dan ook zoiets? We hadden ook gewoon naar dat leuke tentje in het centrum kunnen gaan." Verwachtingsvol keek ze hem aan, maar hij reageerde niet zoals ze gehoopt had. Hij haalde geen juweliersdoosje uit zijn zak en zakte evenmin op één knie.

„Ik had gewoon eens zin in iets anders," antwoordde hij schouderophalend. „Dit is toch leuk voor een keertje?"

„Zeker." Connie kon niet anders doen dan hiermee instemmen. „Laten we er dan ook maar extra van genieten," zei ze, haar wijnglas naar hem opheffend. „Als we zelf eenmaal getrouwd zijn en kinderen hebben, kunnen we dit soort uitspattingen niet meer doen."

Jerry begon te lachen. „Nou, daar hoeven we ons de eerste jaren nog geen zorgen over te maken," meende hij monter. „Als ik iets voorlopig nog niet van plan ben, is het wel trouwen en een gezin stichten."

„Echt niet?" Het lukte Connie niet om haar teleurstelling te verbergen. Er stak dus helemaal niets achter dit etentje, realiseerde ze zich. Al haar roze dromen gingen meteen in rook op.

„Natuurlijk niet. Ik ben net zesentwintig geworden en ik heb me altijd voorgenomen om niet te trouwen voor mijn dertigste," antwoordde Jerry monter, niet beseffend hoe hard zijn woorden bij haar aankwamen.

„En samenwonen?" waagde ze.

„Misschien ooit." Hij haalde zijn schouders op. „Ik ben helemaal niet zo met de toekomst bezig, wat dat betreft. Eerlijk gezegd ben ik er nog niet eens helemaal uit of ik überhaupt wel ooit kinderen wil hebben. Je levert zo'n enorm stuk van jezelf in op het moment dat je de volle verantwoordelijkheid voor een kind hebt."

„Volgens mij verrijkt het je leven juist. Ik denk dat er niets mooiers is dan een kind van jezelf te hebben," zei Connie.

„Meen je dat echt? Gek, zulke hoogdravende opvattingen had ik niet van jou verwacht."

„Daar is niets hoogdravends aan," zei Connie nijdig. De vork, waar ze mee had zitten spelen omdat ze Jerry niet aan wilde kijken, belandde met een klap op tafel. „Ik wil gewoon graag trouwen en moeder worden. Wat is daar mis mee?"

„Niets, alleen ..." Hij keek haar opmerkzaam aan. Net op het moment dat hij verder wilde praten kwam de ober hen echter storen om te informeren of ze een dessert wilden. Connie wilde weigeren, maar Jerry bestelde al zonder aan haar te vragen wat ze wilde hebben.

„De chocolademousse hier is zalig," vertrouwde hij haar toe zodra de ober zich van hun tafel verwijderde.

„Ik heb geen trek meer," zei Connie mat.

„Liefje." Hij pakte haar handen vast en keek haar recht aan, hoewel Connie haar ogen neersloeg. „Ik heb het idee dat jij iets van me verwacht wat ik je niet kan geven. Nog niet, tenminste."

„Ik dacht dat je van me hield."

„Dat doe ik ook, maar dat houdt niet automatisch in dat ik me meteen in een huwelijk stort en kinderen op de wereld ga zetten. Daar ben ik nog helemaal niet aan toe. Wat ik net al zei, ik ben net zesentwintig geworden, jij bent vijfentwintig. We hebben nog alle tijd van de wereld voor dergelijke grote stappen."

„En als ik niet wil wachten?" Nu sloeg ze haar ogen wel naar hem op. „Niet alles heeft met leeftijd te maken, Jerry. Ik voel dat ik er wel aan toe ben. Zowel mijn lichaam als mijn geest zijn er klaar voor."

„Dat is iets wat ik me nauwelijks voor kan stellen," zei hij eerlijk. „Nog geen jaar geleden kenden we elkaar niet eens, onze jeugd buiten beschouwing gelaten. Wil je werkelijk beweren dat je nu ineens staat te springen om je voor de rest van je leven vast te leggen?"

„Waarom niet? Ik hou van je," verklaarde ze simpel.

„Maar we kunnen ook van elkaar houden zonder al die verplichtingen." Hij hield nog steeds haar handen vast en verstevigde die greep toen hij voelde dat ze die terug wilde trekken.

„Ik ben dus eigenlijk niets meer dan een avontuurtje voor je," constateerde Connie wrang. „Iets wat leuk is om erbij te hebben, maar waar je, zoals je zelf net fijntjes opmerkte, geen verplichtingen aan wilt hebben. Houdt dat volgens jou ook in dat je mag doen wat je wilt, met wie je wilt en wanneer je dat wilt? Ik maak uit jouw woorden namelijk op dat trouw zijn aan elkaar ook iets is wat je niet ziet zitten."

„Doe niet zo belachelijk!" viel hij heftig uit. Met deze opmerking raakte ze, zonder het te weten, een gevoelige snaar bij hem.

„Iets anders kan ik er toch niet uit afleiden," zei ze stug.

„Connie, hou op. Ik hou van je en ik wil graag met je trouwen, ooit. Maar nu nog niet. Waarom is dit plotseling zo'n heet hangijzer voor je? We hebben hier nog nooit echt serieus over gepraat en nu wil je me ineens naar het stadhuis sleuren," zei hij half lachend, in een poging de gespannen sfeer te doorbreken. „Had je vanavond soms een huwelijksaanzoek verwacht?" Aan haar gezicht zag hij dat hij in de roos geschoten had met zijn opmerking en van schrik liet hij haar handen los. „O nee, het spijt me. Dit was echt niet mijn bedoeling. Ik wilde je gewoon een keer luxe mee uit nemen, zonder achterliggende redenen."

„Dat is me inmiddels wel duidelijk geworden, ja." Connie voelde zich behoorlijk opgelaten onder zijn geschrokken blik. „Laten we het alsjeblieft over iets anders hebben."

„De enige vrouw met wie ik zou willen trouwen ben jij in ieder geval," verzekerde Jerry haar, ondanks dat verzoek.

„Maar je wilt geen kinderen," kon ze toch niet nalaten nog even te zeggen.

„Daar ben ik nog niet helemaal uit," gaf hij toe. „Ik weet echter wel heel zeker dat, als ik ooit vader word, jij de moeder van die kinderen moet zijn. Tot het zover is genieten we gewoon van elkaar. Goed?"

„Oké, en nu gaan we ergens anders over praten," zei Connie beslist. Ze kon zichzelf wel voor haar hoofd slaan dat ze zich zo in de kaart had laten kijken en wilde niets liever dan dit precaire gesprek beëindigen. „Ik ga even naar het toilet." Met een ruk schoof ze haar stoel achteruit, niet merkend dat de ober er net aan kwam met hun dessert. Door haar onbesuisde actie botste ze tegen hem op en ondanks zijn verwoede pogingen kon hij niet voorkomen dat de schaaltjes met chocolademousse, besteld door Jerry, uit zijn handen gleden. Het effect was onbeschrijfelijk. Het ene schaaltje kwam ondersteboven op de tafel terecht, het andere gleed tussen de ober en Connie in op de grond, daarbij een donkerbruin spoor achterlatend op zijn onberispelijk witte schort en haar lichtblauwe rok.

„O, wat erg!" Connie sloeg haar hand voor haar mond. Ze trokken de aandacht van iedereen in het restaurant en het schaamrood vloog haar naar de kaken. „Het spijt me, ik had u helemaal niet gezien."

„Het geeft niet, mevrouw," haastte de ober zich haar gerust te stellen. Zijn gezicht kwam geen moment uit de plooi. Twee toegesnelde collega's probeerden de boel zo goed mogelijk schoon te maken, maar de vlek die zich op Connies rok gevormd had liet zich niet zomaar wegpoetsen.

„Die moet onmiddellijk een lauw sopje in," wist ze. „Anders is hij voorgoed bedorven."

„Dan gaan we meteen naar huis," besloot Jerry.

„We zouden nog gaan dansen."

„Je denkt toch niet dat ik zo met je op de dansvloer wil staan?" vroeg hij lachend. „Ga je eerst maar omkleden. Je had gezegd dat je geen trek had in een toetje, Con, maar dit vind ik wel een erg drastische manier om dat te laten merken. Je had het ook gewoon mogen laten staan, hoor."

„Hou je mond," siste ze met een blik op de ober die de tafel schoonmaakte.

Ze was blij toen Jerry had afgerekend en ze met goed fatsoen het restaurant kon verlaten. Ze voelde de ogen van de andere aanwezigen hinderlijk in haar rug prikken. Eenmaal buiten slaakte ze een zucht van verlichting, terwijl Jerry hardop lachte. De gespannen sfeer tussen hen was wel in één klap verdwenen, dat was tenminste een voordeel.

„Ik heb me nog nooit zo geschaamd," bekende ze.

„Hoeft niet," grinnikte Jerry. „Ze hebben het dessert niet gerekend."

Ze gaf hem een stomp tegen zijn arm. „Is dat alles waar jij je druk om maakt? Ik kon wel door de grond heen zakken. Dit gebeurt natuurlijk weer net in zo'n chique tent, dat zul je altijd zien."

„Ik heb me er al bij neergelegd dat ik met jou overal maar twee keer mag komen. De tweede keer om mijn excuus aan te bieden," plaagde Jerry haar.

Nu schoot Connie ook in de lach. „Dat gezicht van die ober!" gierde ze. „Hij vertrok geen spier, maar als blikken konden doden had ik nu op apegapen gelegen."

„Ik ben blij dat je weer kunt lachen," zei Jerry tevreden. Hij sloeg zijn arm om haar heen en leidde haar naar de auto. „Kom op, schat. Jij gaat je omkleden en dan gaan we er nog een leuke avond van maken."

Arnoud en Judy hadden inmiddels hun romantische maaltijd beëindigd. Ze hadden plaatsgenomen op de leren bank en Arnoud zette een dienblaadje met kopjes cappuccino en een schaaltje bonbons op het bijzettafeltje.

„Heerlijk," genoot Judy. „Connie kan het in dat dure restaurant niet beter hebben dan ik hier."

„Het verbaasde me nogal dat ze daar naartoe gingen," zei Arnoud peinzend. „Ik ken die zaak wel en het is daar bijzonder exclusief. Eigenlijk geen restaurant waar je naartoe gaat als je niet iets bijzonders te vieren hebt."

„Dat vond hij leuk voor een keertje," zei Judy haastig. Zij wist wel waarom Jerry zich plotseling zo uitsloofde. Zijn schuldgevoel was levensgroot. Die opmerking van Arnoud bracht haar trouwens direct weer terug bij de realiteit. Tijdens hun maaltijd had ze zich gewenteld in de gelukzalige gedachte dat zij en Arnoud samen een kindje zouden krijgen, nu wist ze echter weer dat er nog een andere mogelijkheid bestond. Een mogelijkheid die ze liever uit haar hoofd wilde bannen.

„Jij wilde me iets vertellen," zei Arnoud op dat moment, alsof hij wist waar ze aan dacht. „Het was belangrijk, zei je, dus kom maar op." Hij sloeg zijn arm om haar heen en Judy kroop tegen hem aan, blij dat ze op deze manier niet naar zijn gezicht hoefde te kijken als ze haar nieuws wereldkundig maakte. Daarnet had alles zo simpel geleken, nu moest ze naar woorden zoeken.

„Ik eh, ik voelde me niet zo goed de laatste tijd," begon ze hakkelend.

„Je bent toch niet ziek?" vroeg Arnoud meteen bezorgd. Hij verstrakte, maar Judy haastte zich om hem gerust te stellen.

„Nee, nee, dat niet," zei ze vlug. „Er is iets anders." Ze haalde diep adem en wilde het er net uitgooien toen de deur geopend werd en Connie en Jerry lachend binnenkwamen.

„Oeps, storen we?" informeerde Connie bij het zien van het ineengestrengelde paar op de bank. De kaarsen en het zachte achtergrondmuziekje spraken voor zich.

„Judy wilde me net iets vertellen," zei Arnoud.

„Dat kan wel wachten." Judy wist niet of ze blij of teleurgesteld moest zijn met deze onderbreking.

„Waarom?" zei Arnoud echter. „Je kunt het net zo goed zeggen waar Connie en Jerry bij zijn, we hebben nog nooit geheimen voor elkaar gehad. Ze komen het toch wel te weten, ongeacht wat het is."

„Hè ja, Juud. Als je een nieuwtje hebt wil ik het ook weten, hoor," lachte Connie.

Verwachtingsvol ging ze tegenover haar zitten, de vlek in haar rok was ze meteen vergeten.

„Wat is er aan de hand? Heb je promotie gemaakt of zo?"

Judy kreeg het benauwd bij het zien van de drie gezichten die naar haar toe gekeerd waren. Zo had ze het niet gepland. Natuurlijk zouden Connie en Jerry het inderdaad snel te weten komen, maar het was nog iets anders om een dergelijk nieuwtje te vertellen waar ze bij waren. Vooral in dit speciale geval. Een man vertellen dat hij vader werd terwijl een mogelijk andere kandidaat voor die functie erbij zat, was niet iets waar ze op zat te wachten. Veel keus had ze echter niet. Arnoud scheen niet te merken hoe ze eraan toe was, hij spoorde haar juist aan om met haar nieuws voor de dag te komen en Connie viel hem luidruchtig bij. Alleen Jerry zat er zwijgend bij, bijna alsof hij voorvoelde wat er ging komen.

„Ik eh," begon ze weer, naarstig zoekend naar een goede smoes. Er viel haar echter niets in en wanhopig keek ze om zich heen.

„Zeg het maar, schat," zei Arnoud. „Ik ben inmiddels razend nieuwsgierig. Het moet inderdaad wel iets heel belangrijks zijn."

Ineens kon het Judy niet meer schelen dat iedereen erbij zat. Ze begon kwaad op Arnoud te worden omdat hij blijkbaar niet begreep dat wat zij te vertellen had iets voor hem alleen was. Als hij het dan zo wilde, kon hij het zo krijgen, dacht ze nijdig.

„Goed dan," zei ze met de moed der wanhoop. „Ik ben zwanger."

Het verwachte enthousiasme bleef uit na deze mededeling, er viel zelfs een diepe, onheilspellende stilte. Judy staarde naar een vaas bloemen op tafel, wachtend op het moment dat Arnoud haar dolblij in zijn armen zou nemen en Connie haar zou feliciteren. Er gebeurde echter niets van dit alles. Voorzichtig keek ze op, recht in het bleke, verschrikte gezicht van Jerry. Van hem keek ze naar Connie, die haar verbijsterd aanstaarde. Een onbehaaglijk gevoel nam bezit van haar. Dat Jerry geschrokken was van dit onverwachte nieuws kon ze zich heel goed voorstellen, maar Connies reactie begreep ze niet. Wat was hier aan de hand?

Het was Arnoud die de ijzige stilte verbrak. Met een bruusk gebaar stond hij op van de bank en liep naar de andere kant van de kamer, alsof hij zo ver mogelijk bij haar uit de buurt wilde zijn.

„Je bent dus zwanger," zei hij grimmig. Zijn handen balden zich tot vuisten en zijn gezicht vertrok vol woede. Zijn volgende woorden voelden aan als een harde klap in haar gezicht.

„Zeg op, van wie is dat kind? Want ik kan onmogelijk de vader zijn."

HOOFDSTUK 12

Het leek wel een nachtmerrie waar ze plotseling in beland was. Ontzet staarde Judy naar Arnoud, die ineens een wildvreemde leek. Zijn mond vormde een smalle, verbeten streep en zijn ogen staarden haar hard en koud aan. Er was geen spoortje meer in terug te vinden van de liefde die ze altijd uitstraalden als hij naar haar keek.

„Natuurlijk ben jij wel de vader!" riep ze getergd uit, amper beseffend wat ze zei.

Hij stootte een kort, bitter lachje uit. „Ik weet zelf wel beter. Waarschijnlijk had ik je dit eerder moeten vertellen, dan was deze scène ons allemaal bespaard gebleven. Ik ben onvruchtbaar, Judy. Diverse tests hebben onomstotelijk uitgewezen dat ik nooit een kind zal kunnen verwekken."

„Dat kan niet," fluisterde ze. Er kwam amper een normaal geluid uit haar droge keel.

„Ga me niet vertellen dat jij het beter weet dan de diverse specialisten die ik geraadpleegd heb," zei Arnoud spottend.

Connie en Jerry zaten er als standbeelden bij te kijken, ze hadden allebei nog geen woord gezegd. Connie had het gevoel of ze onvoorbereid in een slechte film meespeelde. Ze registreerde alles wat er gebeurde haarscherp, maar wist haar eigen tekst niet meer. Een paar keer opende ze haar mond, echter zonder iets te zeggen. Vanuit haar ooghoeken zag ze de heftige schrikreactie van Jerry, die op Judy's mededeling gevolgd was en die ze niet begreep, daarna keek ze naar het bleke, vertrokken gezicht van Arnoud.

„Ik vraag het je dus nog één keer," zei hij gevaarlijk kalm. „Wie is de vader van dit kind?"

In een flits begreep Connie het ineens. De puzzelstukjes vielen in één keer op hun plaats. De beweging die Jerry snel met zijn hand maakte, alsof hij Judy wilde beletten te praten, bevestigde haar plotseling opkomende gedachte.

„Het is van Jerry," zei ze hard.

„Wat?" Judy en Arnoud zeiden dit tegelijkertijd. Ze draaiden zich om naar Connie, die nu met een beschuldigende vinger naar haar vriend wees.

„Heb ik gelijk? Jij bent de vader, hè? Ik wist het. Ik wist dat er iets aan de hand was."

„Het spijt me," zei Jerry onbeholpen. Het kwam geen seconde in zijn hoofd op om het te ontkennen. Dat zou de situatie trouwens alleen nog maar erger hebben gemaakt.

„Jij?" Arnoud staarde hem aan alsof hij zijn oren niet kon geloven. „Jij en Judy ...?"

„Arnoud, laat het me uitleggen," smeekte Judy. Ze liep naar hem toe en strekte haar handen naar hem uit, maar hij duwde haar weg of ze een vies insect was. Op zijn gezicht was pure afschuw te lezen.

„Hoe kunnen jullie?" vroeg hij zich walgend af. „Een keertje vreemdgaan is nog tot daaraan toe en in sommige gevallen misschien zelfs nog wel te begrijpen, maar dit .... Jullie samen ... Hier heb ik geen woorden voor. Dus dit is wat vriendschap voor jou betekent?" Hij wierp een verachtelijke blik op Jerry.

„Het spijt me," herhaalde die.

„Dat zal best," hoonde Arnoud. „Wat verwacht je nu? Dat ik die spijtbetuiging accepteer en het je vergeef?"

„Luister dan op zijn minst naar wat er gebeurd is," probeerde Judy nogmaals. „Het is niet wat je denkt."

„Het is mij anders ineens wel duidelijk," klonk Connies heldere stem hard. „Jouw vreemde gedrag na onze vakantie, Jerry die zich ineens wel heel erg uitslooft voor me, laatst nog die collega die plotseling vanuit het niets kwam logeren omdat hij jou graag thuis wilde brengen, nu begrijp ik het. Hoelang is jullie verhouding al aan de gang? Sinds die vakantie waarschijnlijk, schat ik zelf zo in."

„We hebben helemaal geen verhouding, dat probeer ik nou juist duidelijk te maken!" schreeuwde Judy. Ze was aan het eind van haar Latijn. Haar hart bonkte wild in haar borstkas en haar hoofd voelde aan alsof het elk moment kon barsten. Het was onverdraaglijk voor haar dat de man van wie ze hield en haar beste vriendin haar aankeken of ze een hekel aan haar hadden.

„Je zult anders niet zwanger geworden zijn van een handdruk," merkte Connie schamper op.

„Het was een eenmalig incident," schoot Jerry Judy te hulp. „Ik was dronken en wist niet wat ik deed. Je weet wat voor een uitwerking alcohol op me heeft, Connie."

„Wat een heerlijk excuus," smaalde ze.

„Het is de waarheid." Judy had het gevoel of haar benen haar gewicht niet meer konden dragen. Ze ging op de bank zitten, met haar benen opgetrokken en haar armen om haar knieën heen geslagen. Ze zag er heel klein en kwetsbaar uit zo, maar Arnoud duwde het sprankje medelijden dat in hem opkwam snel weg. „Het gebeurde zomaar, ik weet zelf niet waarom. Ik wil mezelf niet vrijpleiten, Arnoud, want ik heb geen aannemelijke verklaring. Ik wil wel dat je weet dat ik het vreselijk vind en dat ik er ontzettend veel spijt van heb."

„Toch niet zoveel spijt dat je me de waarheid durfde te vertellen," was zijn kille reactie. „Je zou me zelfs zonder meer het vaderschap van zijn kind in mijn schoenen geschoven hebben. Als ik niet toevallig beter geweten had, zou de rest van ons leven op een leugen gebaseerd zijn geweest, Judy. Realiseer jij je dat eigenlijk wel?"

Ze knikte. Een eenzame traan liep over haar wang, een glinsterend spoor achterlatend. „Het leek me beter voor ons alle vier om dit verborgen te houden. De prijs voor de waarheid was te hoog. Toen ik erachter kwam dat ik zwanger ben, kon ik niet meer terug. Op dat moment kon ik onmogelijk de waarheid aan jou opbiechten. Bovendien hoopte ik zo dat het jouw kind was dat ik die andere mogelijkheid verdrongen heb."

Het bleef een tijdje stil tussen hen. Arnoud stond nog steeds bewegingloos bij het raam, Jerry een paar meter bij hem vandaan.

„Goh, je wordt dus vader," sneed Connies stem ineens hard door de gespannen stilte heen. „Wat een leuke verrassing voor je, hoewel je mij een uur geleden nog verzekerde dat je daar totaal niet aan toe bent. Je vertelde me trouwens ook dat, mocht je ooit vader worden, ik in dat geval de moeder van het kind zou zijn. Op dat moment was je je slippertje met Judy zeker even vergeten?"

„Je kunt het Jerry niet kwalijk nemen," zei Judy fel. „Het is mijn schuld, ik had beter moeten weten. Hij wist het zelf niet eens meer, ik heb hem later moeten vertellen wat er precies gebeurd is tussen ons."

„Dat zal een deuk voor je ego geweest zijn," zei Connie spottend. „Dat is je vast niet vaak overkomen, ondanks het grote aantal mannen dat je al versleten hebt. Zo zie je maar, een karakter verloochent zich nooit. Je hebt blijkbaar nog steeds niet genoeg aan één man."

Judy, toch al bleek, trok nog witter weg. Ze leek even ineen te krimpen bij deze felle aanval.

„Wat gemeen," zei ze schor. „Ik heb je in vertrouwen over mijn verleden verteld en dat heeft hier niets mee te maken."

Connie sprong overeind. Met gebalde vuisten ging ze voor Judy staan, haar ogen flikkerden.

„Gemeen?" echode ze met overslaande stem. „En dat durf jij te zeggen? Weet je wat gemeen is? Je vriend belazeren met zijn vriend, bovendien de partner van je beste vriendin. Je hebt niet alleen Arnoud verraden, maar mij ook! En alsof dat nog niet genoeg is, lieg je ook nog over de vader van je kind. Over gemeen gesproken! Je bent een lafbek, een kreng, een ... een ..." Ze was zo kwaad dat ze niet meer uit haar woorden kon komen.

Judy keek hulpeloos naar Arnoud, maar hij leek niet van plan om voor haar op te komen. Met zijn armen over elkaar heen geslagen en een onbewogen gezicht bekeek hij het tafereel.

„Ik denk dat ik beter naar mijn eigen kamer kan gaan," zei ze kleintjes.

„Ja, vertrek maar," zei Connie weer hard. „Zo snel mogelijk, alsjeblieft. Hier heb je niets meer te zoeken."

Langzaam stond Judy op, weer wierp ze een smekende blik op Arnoud. „Kunnen we hier een keer rustig over praten?" vroeg ze. „Samen?"

„Je bedoelt zonder mensen erbij die er net zoveel mee te maken hebben, maar die hun mening niet mogen zeggen?" Connies stem klonk nu ronduit sarcastisch.

Judy reageerde niet, ze bleef Arnoud aankijken.

„Later misschien," antwoordde hij met een vaag handgebaar. „Op dit moment heb ik je niets te zeggen, Judy. Ik ben helemaal op. Ga alsjeblieft weg."

Ze knikte stil en greep blindelings naar haar tas.

„Je kunt haar niet zo de straat op sturen," zei Jerry verontwaardigd. „Ze is helemaal overstuur en bovendien zwanger. Kom Judy, dan breng ik je wel thuis."

„O nee, jij komt er niet zo makkelijk van af. Wij hebben ook nog het een en ander te bepraten," zei Connie fel. „Judy redt zichzelf wel. Ze heeft Arnoud niet zo hard nodig als je denkt, dat is wel gebleken."

Judy sloeg haar ogen niet neer voor de blik van Connie. „Je haat me nu, hè?" constateerde ze kalm.

Even leek Connie van haar stuk gebracht door deze rustige opmerking, die absoluut niet theatraal klonk.

„Ik ben in ieder geval ontzettend kwaad op je," zei ze toen. „Zo kwaad als ik nog nooit eerder in mijn leven ben geweest. Ik dacht dat je mijn vriendin was."

„Dat ben ik ook, juist daarom heb ik mijn mond erover gehouden."

„Juist daarom had dit nooit mogen gebeuren! Een echte vriendin flikt zoiets niet!"

Judy beet op haar onderlip en knikte. „Je hebt gelijk. Ik was een waardeloze vriendin op dat moment. Maar alleen op dat moment, Connie. Ik wilde jou en Arnoud geen pijn doen, alleen kwam dat besef later pas. Onze vriendschap bestaat nu bijna een jaar, laat hem niet ten onder gaan vanwege die paar minuten waarin we niet wisten wat we deden," zei ze hoopvol.

„Een paar minuten maar? Dan doet hij het bij mij beter," zei Connie echter hatelijk, zonder op de smeekbede in te gaan. Demonstratief keerde ze haar rug naar Judy toe. „De term JJ, zoals jij jezelf noemt, krijgt nu ineens een heel andere betekenis. Judy en Jerry. Een mooi duo."

„Ik zal een taxi voor je bellen," zei Arnoud zonder Judy aan te kijken. „Ik voel me nu niet in staat om veilig te rijden." Zijn stem klonk emotieloos en al even vlak zei hij haar even later gedag.

„Kom je van de week naar me toe om erover te praten?" vroeg Judy nog voor ze de deur uitliep.

„Misschien," hield Arnoud zich op de vlakte. Voor het raam staarde hij de taxi na, zijn gezicht droeg nog steeds het masker van kille ongenaakbaarheid. Connies hart ging naar hem uit zoals hij daar stond. Ze sloeg geen acht op Jerry, maar liep naar haar broer toe.

„Arnoud," zei ze zacht terwijl ze zijn arm pakte.

„Laat me maar." Hij schudde haar hand van zich af en draaide zich om. „Ik ga naar mijn kamer."

„Kan ik iets voor je doen?" vroeg ze.

Hij lachte even. „Jij hebt zelf genoeg aan je hoofd, denk ik zo." Zonder te groeten en zonder Jerry nog aan te kijken verliet hij de huiskamer. Triest keek ze hem na.

„Het spijt me zo." Het was de derde keer dat Jerry dit zei.

„Dat mag ik hopen, ja," zei Connie vlak. „Hoe kon je?"

„Ik was dronken. Het klinkt als een laffe smoes, daar ben ik me heel goed van bewust, maar het is de simpele waarheid. Ik weet niet wat ik doe op zo'n moment. Zelfs achteraf wist ik het niet meer, behalve een paar vage flitsen. Ik heb Judy moeten dwingen om het me te vertellen."

„Ach, hou toch op." Vermoeid liet ze zich op de bank zakken. Jerry volgde haar voorbeeld, maar ze schoof demonstratief een meter opzij. „Speel nou alsjeblieft niet de heilige onschuld."

„Het is echt zo. Ik kan er niet meer of minder van maken. Ik heb je in ieder geval nooit bewust bedrogen."

„Je hebt bewust je mond gehouden toen je het wist, dat is net zo erg. Als je het me eerlijk verteld had was het misschien anders geweest, nu geloof ik je niet zomaar."

„Judy vroeg me om het niet te vertellen. Sorry, ook dat klinkt weer als een uitvlucht, besef ik. Het is gebeurd, daar kan ik jammer genoeg niets aan veranderen, maar kun je op zijn minst proberen om er overheen te stappen? Ik drink nooit meer een druppel alcohol," bezwoer Jerry haar.

„Een beetje te laat, hè? Dat had je eerder moeten beseffen, tenslotte wist je wat voor invloed alcohol op je heeft," zei Connie hatelijk.

„Jij ook," zei Jerry nu. „Toch heb je niet geprobeerd me te stoppen die middag. Na het eten drong je er zelfs op aan dat ik nog een Irish Coffee zou nemen, hoewel ik je gewaarschuwd had."

„O, dus nu is het mijn schuld?" viel ze fel uit. Woest draaide ze zich naar hem toe. „Laffe smoesjes en schijnheilige praatjes helpen niet, dus probeer je het op deze manier? Heb je nog meer in petto, want ik kan je nu alvast verzekeren dat deze aanpak ook geen effect op me heeft. Ik word er alleen maar nog misselijker van dan ik al was."

„Ik constateer alleen de feiten," zei Jerry moe.

„Voor zover ik me kan herinneren heb ik die drankjes niet met geweld in je keel gegoten. Je had ook gewoon 'nee' kunnen zeggen," zei Connie scherp.

Hij hief zijn handen omhoog. „Ik weet het. Het is allemaal mijn eigen schuld, dat zal ik echt niet ontkennen. Maar kun je geen begrip opbrengen voor de omstandigheden? Ik wist het werkelijk niet! Als jij bij me in de buurt was geweest, was ik met jou naar bed gegaan."

„Nee, dat is een compliment! Dank je wel."

„Je weet best wat ik bedoel. Kunnen we hier alsjeblieft redelijk en als twee volwassenen over praten, zonder constant die sarcastische opmerkingen te maken?" verzocht hij.

Nu ontplofte ze helemaal. Woedend sprong ze overeind. „Sodemieter op," snauwde ze hem toe. „Ga weg en kom nooit meer terug!"

„Connie, ik ..."

„Hou je mond! Na alles wat je vanavond tegen me gezegd hebt, is dit de druppel. Al je mooie praatjes krijgen ineens een heel andere betekenis voor me. Trouw aan elkaar, weet je nog? Daar hebben we net over zitten praten. Je verzekerde me dat ik de enige voor je was, terwijl je ondertussen heel goed wist wat je gedaan had. Pure leugens waren het! En nu ga je zitten klagen omdat ik sarcastisch durf te zijn? Rot toch op!" Met een wild gebaar opende ze de deur voor hem.

Als een geslagen hond liep hij langs haar heen naar buiten. Op dit moment zou niets van wat hij zei enig nut hebben, wist hij. Hij kon haar nu het beste met rust laten en het later nog een keer proberen. Hij wilde haar in ieder geval niet kwijt, niet vanwege zoiets stoms. Niet voor het eerst vervloekte hij die ene avond.

Connie bleef de halve nacht op de bank zitten. Uit Arnouds kamer kwam geen enkel geluid, het was doodstil in de flat. Dit was het dus, dacht ze bitter. Het einde van iets wat nog niet eens zo lang geleden zo mooi begonnen was en waarvan ze had gedacht dat het voor altijd zou zijn. In enkele minuten tijd was er helemaal niets meer van over. Ze was volkomen leeg op dat moment, zelfs huilen kon ze niet. Jerry was dus niet haar prins op het witte paard, zoveel was wel duidelijk. Hij paste niet meer op het voetstuk waar ze hem op geplaatst had. De sokkel was te klein voor hem, dacht ze schamper. Hij was er met een enorme klap vanaf gevallen. Net als vroeger. Pijnlijk duidelijk herinnerde ze zich weer hoe hij haar op haar zestiende in de steek had gelaten voor een van haar vriendinnen. De geschiedenis herhaalde zich dus. Maar toen was hij er tenminste eerlijk over geweest. Meedogenloos eerlijk zelfs. Hij had haar ronduit verteld dat hij verliefd was geworden op Christel en dat hij om die reden hun verkering uitmaakte. Deze keer had hij daar de moed niet voor op kunnen brengen. Zijn eerlijkheid had hij in de loop der jaren blijkbaar ingeruild voor leugens en bedrog. Bah! Ze walgde van deze hele onverkwikkelijke situatie.

Zuchtend stond ze op. Haar blik viel op de grote, bruine vlek op haar lichte rok. Die zou ze er nooit meer uit krijgen, wist ze. Ze had trouwens ook geen zin meer om het te proberen. Zelfs als het haar nog zou lukken, zou ze hem toch nooit meer dragen. Deze rok zou altijd verbonden blijven met de avond waarop haar leven instortte. Ze trok hem uit en gooide hem in de vuilnisbak in de keuken. Met een klap sloot ze het deksel. Kon ze haar herinneringen ook maar zo makkelijk weggooien.

Voor ze naar bed ging keek ze even bij Arnoud om de deur. Hij zat op de rand van zijn bed, met zijn hoofd in zijn handen. Ze wilde naar hem toe lopen, maar met een kort handgebaar hield hij haar tegen.

„Even niet, Con. Niet nu. Ik wil alleen zijn," zei hij schor.

Ze ging er niet tegenin. Zacht sloot ze de deur van zijn kamer achter zich. Zonder de moeite te nemen om zich te wassen, liet ze zich op haar bed zakken, nog steeds te overdonderd door alle gebeurtenissen om te kunnen huilen. Het was een triest einde van een avond die voor beide stellen zo goed begonnen was. Ze begreep nu waarom Jerry haar per se mee had willen nemen naar dat dure restaurant en waarom hij de laatste weken zo lief en attent geweest was. Allemaal pogingen om zijn schuldgevoel af te kopen. Voor Arnoud vond ze dit nog het allerergste. Na een ziekte in zijn puberteit was vast komen te staan dat hij nooit kinderen zou kunnen verwekken. Het moest een heel hard gelag voor hem zijn geweest dat Judy hem vrolijk vertelde dat hij vader zou worden. Een rottere manier om erachter te komen dat je vriendin je bedrogen had, was er waarschijnlijk niet. Arnoud was trouw en serieus, het zou hem ontzettend veel moeite kosten om over het verlies van Judy heen te komen. Als dat al ooit zou gebeuren. Hij had nog nooit eerder zoveel van een vrouw gehouden, wist Connie. Sinds hij haar ontmoet had durfde hij er weer in te geloven dat er toch nog geluk voor hem was weggelegd. Had hij haar maar meteen verteld dat hij onvruchtbaar was ... Maar dat was geen garantie dat er dan niets gebeurd was tussen Judy en Jerry, alleen was het dan niet op deze manier aan het licht gekomen.

Connie huiverde. Haar dekbed was warm genoeg, maar ze voelde zich verkleumd tot in haar botten. Ze waren weer terug bij af, allebei. Voortaan waren Arnoud en zij weer op elkaar aangewezen. Net als vroeger. Na de gouden tijd die achter hen lag, kwam dat dubbel hard aan.

HOOFDSTUK 13

Het werk in de lunchroom ging door alsof er niets gebeurd was. Het liep tegen kerst en de zaak werd iedere dag druk bevolkt door talloze vrouwen, die even uit kwamen rusten van vermoeiende winkelmiddagen. Arnoud en Connie hadden het te druk om overdag veel stil te staan bij het verraad van hun partners, maar 's avonds, als het stil bleef in de flat, nadat die maandenlang gevuld was geweest met stemmen en gelach, sloeg het besef dubbel hard toe. Ogenschijnlijk leek alles weer net als vroeger, voordat ze Judy en Jerry hadden ontmoet. In hun harten was echter een leegte ontstaan die er voorheen niet was. Het werd nooit meer zoals vroeger, dat wisten ze allebei. Gelukkig hadden ze elkaar nog, dacht Connie regelmatig. Arnoud en zij konden elkaar in ieder geval troosten en steunen in dit gezamenlijke verdriet, net als na het ongeluk van hun ouders. Ze voelden hetzelfde, al uitte Connie dat vooral in kwaadheid en Arnoud in stil verdriet. Juist omdat de afgelopen maanden alles zo goed was geweest, leek het leven nu extra saai. Connie deed haar best om een huiselijke sfeer te scheppen in de flat, maar moest zelf toegeven dat het haar niet erg goed lukte. Zonder Jerry en Judy leek alles doods.

Jerry had een aantal keren gebeld, maar Connie had iedere keer de verbinding verbroken als ze zijn stem herkende. De brieven die hij daarna begon te schrijven stuurde ze ongeopend retour.

„Je bent wel erg hard," zei Arnoud op een gegeven moment. Het was de zondag voor kerst en ze genoten van een rustige, vrije dag, in de wetenschap dat ze de komende dagen topdrukte zouden hebben.

„Zachte heelmeesters maken stinkende wonden," zei Connie narrig. „Ik kan het hem niet vergeven, waarom zou ik dan met hem praten of zijn brieven lezen? Ik wil het achter me laten."

„Dat lukt nooit," wist Arnoud, het eitje pellend dat Connie voor het ontbijt had gekookt. In tegenstelling tot de andere ochtenden, waarop ze haastig een cracker of een drinkontbijt naar binnen werkten, ontbeten ze vandaag extra uitgebreid. Connie had eieren gekookt, verse sinaasappelsap geperst en croissantjes gebakken en Arnoud had de tafel gezellig gedekt. Toch wilde de stemming niet op gang komen. Ze zaten er allebei landerig bij, alsof ze met zichzelf geen raad wisten. "Het is gebeurd en we zullen het een plek moeten geven, hoe dan ook. Ze hebben een fout gemaakt. Eén foutje maar, wil je daarom werkelijk alles vergooien wat jullie hadden? Niemand is volmaakt, Con."

Ze keek hem met open mond aan. "En dat zeg jij? Ik vind je erg mild voor iemand die op zo'n manier belazerd is."

"Er spelen meerdere factoren mee. Ik wil en kan iemand niet afrekenen op één verkeerde beslissing. Judy heeft er ontzettend veel spijt van."

"Hoe weet je dat? Heb je contact met haar gehad?"

Arnoud schudde zijn hoofd. "Nee, maar ik ken haar goed genoeg om dat te weten. Ze heeft geen makkelijk leven gehad, Con, dat speelt ook mee. Je weet zelf hoe ze altijd tegen relaties aangekeken heeft, dat verandert niet van de ene dag op de andere. Ik ga overigens straks naar haar toe, het wordt tijd voor een goed gesprek."

"Alsof dat nut heeft," hoonde Connie. "Je wist het niet uit met een gesprek. Het feit blijft hetzelfde."

"Maar nu is er zo'n abrupt, onbevredigend einde aan gekomen."

"Ik mag toch hopen dat je het niet weer goedmaakt met haar," mopperde Connie. Ze brandde haar mond aan de te hete thee en uitte een krachtterm.

Arnoud ging niet op haar opmerking in. "Een keer goed praten met Jerry zou jou ook goed doen," adviseerde hij alleen kalm. "We zijn nu twee weken verder en de eerste schok is verwerkt. Praat erover."

"Nee bedankt. Ik heb hem alles gezegd wat nodig was," zei Connie nijdig. Ze stond op en begon met woeste, onbeheerste gebaren de tafel af te ruimen, hoewel Arnouds bord nog niet leeg was. Ze wilde niet laten merken dat zijn woorden haar geraakt hadden. Ze miste Jerry enorm, maar haar kwaadheid won het nog van haar verdriet. De vernedering die ze gevoeld had op de avond dat de waarheid boven tafel was gekomen, zou ze nooit meer vergeten. Het besef dat Jerry zich als de ideale partner gedragen had om zijn schuldgevoel jegens haar te verminderen, was haar niet in de koude kleren gaan zitten. Ze had zich nog nooit zo minderwaardig gevoeld als juist op dat moment.

Ze sloot zich op in haar eigen kamer en reageerde niet toen Arnoud een uur later riep dat hij wegging. Met brandende ogen staarde ze hem door het raam na. Arnoud had de afgelopen twee weken blijkbaar alles op een rijtje gezet, in tegenstelling tot haarzelf. Zij was blijven hangen in die eerste schok en haar visie was onveranderd gebleven. Ze kon niet anders. Dat ene, vreselijke moment waarop ze zich gerealiseerd had dat Jerry de vader was van Judy's ongeboren kind, stond in haar hart en haar geheugen gegrift en dat belette haar om er dieper over na te denken.

Zenuwachtig stapte Arnoud in de straat waar Judy woonde uit de auto. Hij had haar niet laten weten dat hij kwam en hoopte dat ze thuis was. Hij verlangde naar haar, al had hij dat niet tegen Connie durven zeggen. Met Judy was al het goede uit zijn leven verdwenen. In tegenstelling tot Jerry had Judy geen enkele poging ondernomen om contact met hem te zoeken en daar was hij alleen maar blij om. Ze gunde hem tenminste de tijd om alles te verwerken en drong zich niet aan hem op. Arnoud had die tijd goed benut en was tot een aantal conclusies gekomen. De belangrijkste daarvan was dat hij nog steeds van haar hield en haar niet wilde missen, ondanks alles. Zijn verdriet om de verbroken relatie was vele malen groter dan zijn kwaadheid om het bedrog. Arnoud bezat een groot relativeringsvermogen en hij kon situaties zuiver bekijken, al had hij daar in dit geval dan wat meer tijd voor nodig gehad.

Gespannen wachtte hij af nadat hij aangebeld had. Het duurde even, toen hoorde hij tot zijn opluchting toch haar voetstappen op de trap. Langzame, slepende voetstappen, heel iets anders dan de enthousiaste manier waarop ze gewoonlijk de trappen afrende om open te doen. Haar bleke gezichtje met de doffe ogen lichtte één moment hoopvol op.

„Arnoud?"

„Ben ik welkom?" vroeg hij uiterlijk kalm, maar inwendig bibberend van de spanning.

„Jij altijd," zei ze eenvoudig. Voor hem uit liep ze de twee trappen naar haar kamer op. Ze was afgevallen, merkte Arnoud op. Hij vroeg zich af of dat geen kwaad kon voor de baby. Als er tenminste nog een baby was ... Hij wist zelf niet waar hij op moest hopen. Het zou de zaken in ieder geval een stuk minder gecompliceerd maken, dat was zeker.

Onwennig stonden ze tegenover elkaar in haar kleine kamer.

„Ga zitten," zei Judy met een gebaar naar haar tweezitsbank. Zelf nam ze plaats op haar bureaustoel, twee meter van hem vandaan.

„Ik ben blij dat je gekomen bent," zei ze toen.

„Het wordt hoog tijd dat we met elkaar praten," knikte Arnoud. „Judy, ik ..."

Een kort klopje op de deur, die daarna onmiddellijk geopend werd, belette hem om verder te spreken. Een hoofd met grijs krullend haar, behorend aan Judy's hospita, keek naar binnen. Judy zuchtte hoorbaar.

„Wat is er, mevrouw Heemstra?" vroeg ze gelaten.

„Is alles goed, kind? Er was zo'n herrie." Haar felle ogen keken Arnoud priemend aan.

„Er is niets aan de hand, ik heb alleen bezoek," antwoordde Judy.

„Dat zie ik, ja. Kom je straks even beneden? Ik moet iets met je bespreken."

„Voorlopig heb ik geen tijd," zei Judy kortaf. Ze stond op en liep op de oude vrouw toe. „Dag mevrouw Heemstra." Ze sloot de deur demonstratief en schoof meteen de knip aan de binnenkant erop. „Niet dat het helpt, want ze zal ongetwijfeld straks weer komen kloppen, maar nu kan ze in ieder geval niet zonder meer naar binnen lopen," verklaarde ze tegen Arnoud.

„Dit is toch geen doen," zei hij hoofdschuddend. „Je bent verdorie een volwassen vrouw, ze heeft zich niet zo met jouw zaken te bemoeien."

„Het is haar huis," meende Judy schouderophalend. „Ik kan er weinig van zeggen."

„Je moet hier weg."

„Waar zou ik naar toe moeten? Het is praktisch onmogelijk om in deze stad iets betaalbaars te vinden."

„Je zou bij mij in kunnen trekken."

„Wat?" Haar mond viel open en ze keek hem ongelovig aan. „Wil je ...? Bedoel je ...? Echt?"

„Ik wil, ik bedoel, ja echt," zei hij lachend. „Ach Judy, ik hou van je, daar kan wat er gebeurd is niets aan veranderen. Wat wij hadden was zo ongelooflijk goed en intens. Dat is niet uit te vlakken."

„Maar ... maar ... Ik begrijp het niet," stamelde Judy. „Ben je dan niet kwaad op me?"

„Ik ben nooit kwaad geweest, alleen ontzettend gekrenkt en verdrietig. Het leven was ineens niets meer waard voor me. Met jou was al het goede weg."

„Ik kan mijn oren niet geloven." Judy schudde haar hoofd, ze was volkomen van haar stuk gebracht. „Hier heb ik op gehoopt, maar ik had nooit verwacht dat het echt zou gebeuren. Weet je het zeker? Er is heel wat gebeurd, Arnoud. Ik denk niet dat we de draad weer gewoon op kunnen pakken waar hij twee weken geleden gebroken is."

„Vast niet, maar we kunnen er wel aan werken. Eerlijk gezegd ben ik hier alleen naartoe gekomen om alles uit te praten, maar nu ik je weer zie ... Ik kan en wil je niet missen, je betekent alles voor me. Ik ben ervan overtuigd dat we er samen wel uit zullen komen. Als jij dat ook wilt tenminste."

„Ik wil niets liever!" Haar ogen begonnen te stralen en er verschenen twee opgewonden blosjes op haar bleke wangen. Ze sprong overeind en liet zich zonder meer in zijn armen vallen. De kus die hierop volgde was teder en intens, maar werd onderbroken door een hard geklop op de deur.

„Kunnen jullie wat zachter doen?" klonk de klagende stem van mevrouw Heemstra.

„Laten we hier weggaan," zei Arnoud grimmig. „Pak je jas, dan gaan we een boswandeling maken. Er is nog heel wat waar we over moeten praten."

„Eerst nog een zoen," eiste Judy. Ze hief haar gezicht uitnodigend naar hem op en hij liet zich niet lang smeken.

Later liepen ze met de armen om elkaar heen geslagen door het bos. Na de eerste euforie van hun onverwachte verzoening beseften ze allebei dat er nog heel wat problemen in het verschiet lagen en dat er nog een heleboel onuitgesproken was tussen hen. De kou deerde hun niet. Het was droog en er scheen een bleek zonnetje, wat veel goed maakte. Op een gegeven moment kwamen ze op een beschutte plek, waar wel zon was, maar geen wind. Een leeg bankje leek daar speciaal voor hen neergezet te zijn en alsof het afgesproken was stevenden ze daarop af.

„Er is veel veranderd sinds we de laatste keer gewandeld hebben," merkte Judy op. Haar blik was gevestigd op een onbestemd punt in de verte, ze durfde Arnoud niet goed aan te kijken. Hij wilde haar dan wel terug, maar hoe zat het met de baby? Die vraag spookte al een kwartier door haar hoofd heen zonder dat ze de moed had om hem hardop uit te spreken. Ze kon zich levendig voorstellen dat hij er geen zin in had om het kind van een ander op te voeden en dat hij een abortus zou eisen. In dat geval zou het alsnog over en uit zijn tussen hen, hoe erg ze dat ook zou vinden. De baby had echter al zo'n grote plek in haar hart ingenomen dat ze er geen afstand van kon doen, ook niet ter wille van Arnoud. Tenslotte kon het kindje er niets aan doen dat het zo gelopen was, hij of zij had nergens schuld aan. Haar eerste prioriteit lag nu bij het nieuwe leven dat in haar lichaam groeide, al was daar aan de buitenkant nog niets van te zien. „Arnoud, het spijt me."

„Dat hoef je niet te zeggen, dat weet ik wel."

„Toch wil ik het nog een keer uitspreken." Haar blik werd ernstig. „Het spijt me meer dan ik je ooit duidelijk zal kunnen maken. Ik heb geen enkel excuus voor wat er gebeurd is en ook geen verklaring. Het gebeurde en ik weet zelf niet waarom. Het waren minuten van volkomen verstandsverbijstering, die mijn hele leven verwoest hebben. Echt, je hebt er geen idee van hoe beroerd ik me naderhand voelde en hoe schuldig. Ik heb overwogen om het eerlijk tegen je te zeggen, maar dat durfde ik niet aan. Het zou niet alleen ten koste zijn gegaan van onze relatie, maar ook van Connie en Jerry, om over mijn vriendschap met Connie nog maar te zwijgen. Die prijs vond ik te hoog. Stom, want je ziet wat ervan gekomen is. De waarheid komt toch altijd boven tafel, dat blijkt wel weer. Achteraf, toen ik de zwangerschap ontdekte, kreeg ik er spijt van dat ik niets gezegd had, maar toen was het te laat. Op dat moment kon ik het onmogelijk nog opbiechten. Zo raakte ik steeds verder verstrikt in de leugens. Je denkt altijd dat zoiets je nooit zal overkomen, maar het gaat ongemerkt steeds een stapje verder. Voor je het beseft zit je er middenin en denk je dat er geen weg terug meer is."

Arnoud had rustig naar haar geluisterd, zonder haar in de rede te vallen. Hij begreep haar zo goed. Precies zo was het hem vergaan. Hij was tenslotte ook niet helemaal eerlijk tegenover haar geweest. Ze had hem verteld van haar kinderwens, maar het had hem aan genoeg moed ontbroken om haar te zeggen dat die nooit uit zou komen. Uit angst voor haar reactie had hij zijn mond gehouden. Hij kon de gedachte niet verdragen dat ze hun relatie om die reden zou verbreken en zweeg daarom bewust. Voor zichzelf had hij dat goedgepraat met het argument dat hun relatie zich eerst nog verder moest ontwikkelen, maar diep in zijn hart wist hij wel beter. Vanaf het eerste moment hadden ze geweten dat ze voor elkaar bestemd waren, daar was nooit enige twijfel over geweest. Ze had er recht op om de waarheid te weten, Connie had hem dat meerdere malen gezegd.

„Ik ben net zo goed fout geweest," zei hij dan ook toen het stil bleef naast hem.

„Jij hebt mij niet bedrogen."

„Ik heb de waarheid voor je verzwegen, dat komt op hetzelfde neer."

Judy schoot in een nerveuze lach. „Gaan we nu ruziemaken over wie de meeste schuld heeft?"

„Laten we het erop houden dat we quitte staan. Vanuit dat standpunt bezien kunnen we nu gewoon met een schone lei opnieuw beginnen."

„Zo simpel ligt het niet. Je ziet iets heel belangrijks over het hoofd."

„De baby," begreep hij meteen.

Judy knikte. „Daar kunnen we nu eenmaal niet omheen, dat zou ik trouwens ook niet willen. Ondanks de manier waarop mijn zwangerschap tot stand is gekomen, hou ik nu al van dit kindje. Ik kan er geen afstand van doen."

Het bleef lang stil tussen hen, zo lang dat Judy vreesde dat Arnoud naar woorden zocht om haar duidelijk te maken dat hij het kind nooit zou accepteren. De tranen schoten haar in de ogen. Net nu ze weer hoop had op geluk, leek het erop dat het alweer eindigde. Ze begreep het, maar het was keihard.

„In dat geval gaan we ervoor," zei Arnoud echter kalm.

Trillend als een rietje hoorde ze hem aan. „Zeg dat nog eens," verzocht ze moeizaam.

Arnoud lachte. „We gaan ervoor," herhaalde hij. Het voelde als een bevrijding om die woorden hardop te zeggen. Wat jarenlang onmogelijk had geleken, lag nu onverwachts toch binnen zijn bereik. Een eigen gezin. Hij had altijd als een vaststaand feit aangenomen dat hij ooit vader zou worden, tot het moment waarop de specialist die droom ruw verstoorde met de uitslagen van de onderzoeken.

„Meen je dat?" Judy kon het niet geloven.

„Ik heb altijd kinderen gewild," verklaarde Arnoud eenvoudig. „Na die fatale diagnose heb ik mijn wens diep weggestopt en me gestort op mijn werk in een poging iets te compenseren. Dit is misschien niet de meest ideale manier om alsnog vader te worden, maar in ieder geval wel een mogelijkheid. We trouwen zo snel mogelijk, de baby krijgt mijn naam en niemand zal ooit te weten komen dat het niet mijn kind is."

„Behalve Connie en Jerry dan," waagde Judy te zeggen. „Ik vind het heerlijk dat je zo positief reageert en als het kon zou ik hierdoor nog meer van je gaan houden, maar ik denk dat je de werkelijkheid een beetje uit het oog verliest. Wat als Jerry zijn rechten als vader opeist?"

„Dat doet hij niet," zei Arnoud vol vertrouwen. Hij voelde zich ineens dwaas gelukkig en er was niets wat dat kon veranderen. Zelfs in het ergste geval, als Jerry een bezoekregeling zou afdwingen, zou het kind toch bij hen wonen en mocht hij ervoor zorgen en het mee opvoeden. Voor iemand die op dat vlak geen verwachtingen meer had, was dat een heleboel.

„Misschien zijn die paar minuten verstandsverbijstering, zoals jij het net zo mooi noemde, wel het beste geweest wat ons kon overkomen," zei hij langzaam.

Judy lachte en huilde tegelijkertijd. Hoe was het mogelijk dat deze dag, die zo troosteloos begonnen was, zo eindigde? Arnoud was terug in haar leven en alsof dat nog niet genoeg geluk betekende, was hij ook nog bereid haar kind als het zijne te accepteren. De nachtmerrie van de afgelopen weken veranderde zomaar in een mooie droom. Vanochtend was ze nog een alleenstaande, wanhopig verdrietige, zwangere vrouw geweest en nu was ze praktisch verloofd met een man die zich erop verheugde om vader te worden. Een stemmetje diep binnenin haar fluisterde dat er heus nog wel voetangels en klemmen op haar weg lagen, maar ze weigerde daarnaar te luisteren. Op dit moment was in ieder geval alles goed en daar genoot ze van, de rest zag ze later wel weer.

Intens gelukkig slenterden ze verder door het stille bos, regelmatig even stilstaand om elkaar te zoenen en vrolijke, verliefde woordjes in elkaars oren te fluisteren. In de verte hoorden ze een groepje kinderen kerstliedjes zingen, de ijle stemmetjes vrolijk en onbezorgd.

„Dit wordt de mooiste kerst ooit," zei Arnoud zacht.

HOOFDSTUK 14

„Je blijft geen dag langer in die armoedige kamer met die nieuws-gierige hospita," zei Arnoud beslist. „We gaan je spullen pakken en je gaat met mij mee."

Judy schoot in de lach bij de autoritaire manier waarop Arnoud zich opstelde. Dat was helemaal niets voor hem.

„Vergeet je niet iets?" informeerde ze liefjes. „Connie bijvoor-beeld? Zij woont ook in de flat en ze zal niet bepaald juichen als ik er zo plotseling bij kom. Jij kunt nu wel net doen alsof er niets gebeurd is, maar dat kan niet iedereen. Ik geloof niet dat dit een goed plan is."

„Natuurlijk wel. Connie zal alleen maar blij zijn omdat ik weer gelukkig ben," sprak Arnoud vol vertrouwen.

„Daar zou ik niet al te zeker van zijn. Ze gunt jou het geluk waar-schijnlijk wel, maar mij niet."

„Schat, maak je niet zo druk." Arnoud nam Judy in zijn armen en kuste het puntje van haar neus. „Connie is niet haatdragend. Ze is kwaad, logisch, maar niet onredelijk. Ze weet hoeveel ik van je hou en zal zich alleen maar verheugen in ons geluk. Ga met me mee, dan kun je dat zelf zien."

Judy schudde haar hoofd. „We kunnen haar niet zomaar overval-len met het verhaal dat ik vrolijk bij jullie intrek. Je moet eerst met haar praten en kijken hoe ze reageert. Als Connie het niet wil, doe ik het niet. Er zal sowieso heel wat uitgepraat moeten worden tus-sen haar en mij."

„Je maakt je zorgen om niets," verzekerde Arnoud haar.

Wat hem betrof was er geen vuiltje aan de lucht. In zijn huidige gemoedstoestand zag hij geen enkel bezwaar. Judy en hij hadden het weer goedgemaakt, ze wilden zo snel mogelijk trouwen en hij werd binnenkort vader. Mooier dan nu kon het leven nooit meer worden en het kwam geen seconde in zijn hoofd op dat Connie dat wellicht anders zou zien. Nu alles uitgesproken was voelde hij zich licht, vrolijk en blij. Eindelijk was de lucht geklaard tussen Judy en hem. Zijn geheim had zwaar op zijn schouders gelegen al die tijd en de angst dat Judy hem zou verlaten als ze de waarheid te weten kwam, had diep in zijn binnenste gesluimerd. Dat loodzware gevoel was nu weg. Ze waren allebei fout geweest en hoefden elkaar geen verwijten meer te maken. En, last but not least, zijn vroegere dromen over een eigen gezin, die hij diep had weggestopt, kwamen toch uit. Weliswaar op een manier waar hij zelf nooit voor gekozen zou hebben, maar dat maakte zijn euforie niet minder. Hoe een doel bereikt werd was ook niet belangrijk, het ging om het resultaat, hield hij zichzelf voor. En dat eindresultaat zag hij al helemaal voor zich. Judy en hij, samen met een klein meisje of jongetje in een eengezinswoning met een ruime tuin, misschien zelfs met een hond of een kat erbij. Wellicht konden ze in de toekomst ook nog een kind adopteren om hun gezin helemaal compleet te maken, draafde hij door.

Hij stapte dan ook fluitend de flat binnen. Connie, die landerig voor de tv hing, keek hem wantrouwend aan.

„Wat ben jij ineens vrolijk," merkte ze vinnig op.

„Ik heb dan ook geweldig nieuws," verklaarde Arnoud. „Ik ben bij Judy geweest en we hebben het uitgepraat. Ze komt hier wonen en we trouwen zo snel mogelijk. De baby komt op mijn naam te staan. Ik word dus toch nog vader, Con. Wie had dat ooit durven denken? Vind je het niet fantastisch?" Hij keek haar opgetogen aan, verwachtend dat ze overeind zou springen om hem te omhelzen en te feliciteren.

Connie veerde inderdaad omhoog uit haar onderuitgezakte houding, maar de omhelzing bleef uit. Haar ogen schoten vuur en haar handen waren tot vuisten gebald.

„Ben je niet goed bij je hoofd?" schreeuwde ze. „Dat mens heeft je bedrogen en jij gaat op je knieën naar haar terug. Heb je dan helemaal geen zelfrespect? En waar blijf ik in dit verhaal? Heb je daar al eens bij stilgestaan?"

„Jij blijft hier natuurlijk ook," antwoordde Arnoud, van zijn stuk gebracht door haar felle uitval. „Ik zet jou heus niet op straat omdat ik wil gaan trouwen. Je zou me beter moeten kennen, Con."

„Alsof ik met die slet in één huis wil wonen," beet ze hem toe. „Verdorie man, ben je achterlijk of zo? Ze is verdomme met mijn vriend naar bed geweest! Ze draagt zijn kind!"

„Dat is iets waar Judy en ik uitgebreid over gesproken hebben. Wij zien zelf geen bezwaren, dus ik begrijp niet goed waar jij je druk om maakt. Je zou blij voor me moeten zijn," wees Arnoud haar terecht.

Connie lachte honend. „Blij, waarom? Omdat je gaat trouwen met iemand die het niet zo nauw neemt? Ik gun je wel iets beters."

„Beter dan Judy kan ik niet krijgen," zei Arnoud vol overtuiging. „Echt Con, ik begrijp je niet. Judy heeft een fout gemaakt en ze is zelf de eerste om dat toe te geven. Bovendien heeft ze er oprecht spijt van en ik ben ervan overtuigd dat het nooit meer zal gebeuren. Als ik daar overheen kan stappen, waarom kun jij dat dan niet? We zijn gelukkig met elkaar en ik krijg alsnog het kind dat ik altijd gewild heb. Mooier kan het niet, al is de manier waarop het gegaan is dan nogal ongelukkig. Kun je niet gewoon vergeten wat eraan vooraf is gegaan en je verheugen op ons geluk?"

Connie staarde hem aan alsof ze haar oren niet kon geloven. Begreep Arnoud het echt niet of was hij zo gemanipuleerd door Judy dat het hem niet uitmaakte? Hij leek plotseling een vreemde voor haar. De broer die ze kende zou onmiddellijk geweten hebben waar de schoen wrong voor haar.

„Iedereen maakt fouten in het leven. Een beetje inlevingsvermogen en begrip zouden je niet misstaan," zei hij ook nog.

„Als jij het haar vergeeft dat ze vreemd is gegaan zijn dat normaal gesproken ook mijn zaken niet, maar je schijnt te vergeten met wie ze het bed in is gedoken. Ik heb hier wel degelijk iets mee te maken, Arnoud. Het gaat niet alleen om Judy, Jerry is er ook bij betrokken."

„Wat Judy en ik hebben staat los van jou en Jerry. Het had met ieder ander kunnen gebeuren."

„Maar het is met niemand anders gebeurd, dat is nou net het probleem!" Rusteloos liep Connie door de kamer heen en weer. Arnoud stond nog steeds bij de deur. „Door haar schuld is mijn relatie verbroken en jij verwacht simpelweg van mij dat ik haar dat vergeef en met haar in één huis ga wonen?"

„Zij is niet alleen schuldig."

„Jerry was dronken en wist niet wat hij deed."

„O, denk je er nu ineens zo over?" Arnoud lachte spottend. „Vanochtend was hij nog een notoire bedrieger die je niet kon vergeven, maar nu ligt het ineens allemaal aan Judy? Je spreekt jezelf tegen, Connie. Trouwens, Jerry is totaal niet meer in het zicht. Je wilt hem niet meer zien."

„En dat komt jou nu heel goed uit, hè?" sneerde ze. „Hoe je het ook wendt of keert, Jerry is de vader van de baby. En ik had de moeder moeten zijn!"

Er bleef een geladen stilte hangen na deze uitval. Connie staarde stug uit het raam, kwaad op zichzelf omdat ze zich zo in de kaart had laten kijken. Dat was haar bedoeling niet geweest. Ze wilde geen medelijden opwekken.

„Ik wist niet dat je er zo over dacht," zei Arnoud uiteindelijk. „Ik wist überhaupt niet dat je je met dergelijke zaken bezighield."

„Ik wilde niets liever dan trouwen en Jerry's kind krijgen," gaf Connie schor toe. „Maar hij wilde niet. Nog niet, zei hij, maar ondertussen liet hij al doorschemeren dat hij waarschijnlijk nooit vader wil worden. Een uur later kwam Judy met haar mededeling op de proppen."

„Dat moet hard voor je geweest zijn, nog afgezien van het feit wat ze gedaan hebben," begreep Arnoud. Hij liep op haar toe en legde zijn handen op haar schouders. „Ondanks dat moet je wel realistisch blijven," zei hij dringend. „Het feit blijft bestaan dat Judy en Jerry de fout in zijn gegaan, daar is nu eenmaal niets meer aan te veranderen, maar je hebt zelf de keus of je jouw hele leven laat bepalen door de fout van anderen. Je bent nu kwaad en verbitterd en dat belet je om helder naar de situatie te kijken. Ik hou van Judy, ik wil niets liever dan mijn leven met haar delen en ik ben heel gelukkig dat ik toch nog de kans krijg om vader te worden. Jij blijft echter hangen in je woede en daar pak je niet alleen jezelf, maar ook Judy en mij mee."

„Het is wel heel gemakkelijk om de schuld nu op mijn schouders te schuiven. Jij wilt vader gaan spelen over het kind van mijn vriend, daar benadeel je mij mee," meende Connie echter. „Ter wille van jou moet ik nu net doen of er niets aan de hand is en Judy welkom heten in ons huis alsof we nog steeds vriendinnen zijn. Het spijt me, maar dat kan ik niet."

„Je wilt het niet eens proberen," constateerde Arnoud bitter. „Zelfs niet voor mij. Ik heb jarenlang alles voor je gedaan en je overal mee geholpen en nu kan ik barsten. Nu verwacht je blijkbaar dat ik jouw geluk boven dat van mij en Judy stel, omdat jij je het grote slachtoffer voelt in dit verhaal. Zeg eens eerlijk: denk je nu werkelijk dat jij er gelukkiger of beter van wordt als Judy en ik onze relatie verbreken?"

„Ik zou me dan in ieder geval minder zorgen hoeven maken om jou," antwoordde Connie vinnig. „Geloof nou maar niet dat Judy het bij één slippertje laat. Ze zal je ongetwijfeld nog vaker bedriegen."

„Dat vroeg ik niet." Arnoud bleef kalm, hoewel zijn ogen flikkerden. „We hebben het nu over jouw gevoelens."

„Een beetje laat, hè? Laten we er maar over ophouden, je hebt je keus toch al gemaakt."

„Je kunt niet werkelijk van me verlangen dat ik mijn levensgeluk opgeef omdat jij je gekwetst voelt."

„Dat vraag ik ook niet van je, maar jij kunt niet van mij verwachten dat ik in één huis ga wonen met de vrouw die mijn vriend heeft verleid en die zijn kind op de wereld zet. Zijn kind, Arnoud, niet het jouwe," sloeg Connie hard terug. „Dan mag ik als inwonende tante zeker ook oppassen als jullie een avondje weg willen? Nou, ik bedank voor de eer."

Vermoeid wreef Arnoud over zijn ogen. Dit had hij niet verwacht toen hij vrolijk thuis was gekomen. Het stelde hem voor een vreselijk dilemma. Judy was de vrouw van wie hij hield en met wie hij zijn leven wilde delen, maar Connie was zijn kleine zusje die altijd op hem gesteund had. Ze hadden elkaar door de eerste moeilijke jaren na het vliegtuigongeluk heen gesleept, ze hadden samen de lunchroom opgestart, ze hadden samen deze flat opgeknapt en ingericht. Hun levens waren met elkaar verweven en hij had er nooit bij stilgestaan dat er wel eens omstandigheden konden komen waardoor dat veranderde. Hoe kon hij ooit honderd procent voor de één en dus tegen de ander kiezen? Dat was onmogelijk voor hem.

Hij hoefde die keus echter niet te maken, dat deed Connie al voor hem.

„Ik ga zo snel mogelijk verhuizen," zei ze hard. „Ik hoop dat je het fatsoen hebt om te wachten met Judy hier te laten wonen tot ik weg ben."

„Nee Connie, niet zo. Op deze manier moet het niet gaan tussen ons." Wanhopig pakte Arnoud haar vast. Haar verdrietige gezicht deed zijn hart breken en op dat moment was hij bijna bereid om Judy dan toch maar op te geven voor haar. De taak die hij zichzelf een paar jaar geleden had gesteld, namelijk zijn zusje gelukkig maken, woog zwaar op hem. „Ik zal met Judy praten, ik zal ..."

Connie schudde haar hoofd. „Laat maar. Je hebt je keus al gemaakt. Als je het nu terugdraait, weet ik dat je het alleen uit medelijden met mij doet, terwijl je het zou moeten doen omdat je zelf beseft dat je verkeerd bezig bent. Ik wil je nergens toe dwingen. Ik niet." Ze legde extra nadruk op die laatste twee woorden.

Arnoud begreep meteen wat ze bedoelde. „Judy heeft me nergens toe gedwongen. Ik ben uit vrije wil en uit volle overtuiging naar haar teruggegaan."

„Dan wens ik je heel veel geluk," zei ze cynisch.

Ze draaide zich om en liep de kamer uit. Haar eigen kamerdeur draaide ze direct achter zich in het slot, want ze wilde niet dat Arnoud haar tranen zou zien, die nu vrijelijk over haar wangen liepen. De dreun die hij haar toegediend had was ontzettend hard aangekomen. Connie voelde zich nu dubbel verraden. Eerst door Jerry en Judy, nu door Arnoud. Judy had haar zelfs twee keer verraden, zowel door met Jerry naar bed te gaan als nu door met Arnoud te willen trouwen. En dat noemde zich dan haar vriendin, dacht Connie bitter.

Het was inmiddels al midden in de nacht, maar Connie probeerde niet eens om naar bed te gaan en te slapen, ze wist toch wel dat daar niets van zou komen. In alle ernst vroeg ze zich af of ze overdreven reageerde, zoals Arnoud haar verweten had. Maar ze kon haar eigen gevoelens nu eenmaal niet verloochenen. Ze was kwaad op Judy vanwege alles wat er gebeurd was, bovendien was ze diep in haar hart jaloers op haar omdat zij het kind van Jerry droeg. Het kind dat zij, Connie, had willen hebben. Judy had een fout gemaakt die achteraf heel erg goed uitpakte voor haarzelf, terwijl Connie er de dupe van werd. Was het dan onredelijk dat ze daar kwaad om was? Ze vond zelf van niet, ondanks alles wat Arnoud erover gezegd had. Natuurlijk gunde ze hem zijn geluk, het was alleen wel erg wrang dat zijn geluk ten koste ging van het hare.

Ondanks de doorwaakte nacht was ze de volgende ochtend ruim op tijd klaar om naar de lunchroom te gaan. Eigenlijk had ze helemaal geen zin om te werken en ze speelde zelfs even met de gedachte om het bijltje erbij neer te gooien. Laat Judy maar serveerstertje spelen, dacht ze nijdig. Toch kon ze dat niet over haar hart verkrijgen. De zaak was van henzelf, het was een deel van haar. Dat zou ze nooit op kunnen geven, al vreesde ze wel dat de samenwerking tussen Arnoud en haar een fikse deuk op zou lopen door al deze toestanden. Arnoud probeerde een gesprek op gang te brengen, maar Connie zweeg in alle talen. Ze had er geen behoefte aan om te praten, alles was al gezegd. Zwijgend reden ze dan ook naar de lunchroom, waar Connie achter de counter alles opstartte en Arnoud in de keuken verdween. Ze meden elkaar de rest van de dag zoveel mogelijk, in de ijdele hoop dat hun perso- neel niet op zou merken dat er iets aan de hand was tussen hen. Langs haar neus weg informeerde Connie bij Kelly en Mariska of iemand soms woonruimte voor haar wist.

„Problemen met Arnoud?" vroeg Mariska direct spits. Ze wierp Kelly een veelbetekenende blik toe.

„Hij gaat binnenkort trouwen en ik wil het jonge stel niet in de weg lopen," antwoordde Connie luchtig. „Die hebben uiteraard weinig behoefte aan een inwonende zus."

„Ik weet wel iets," zei Kelly. „Mijn tante woont in haar eentje in een dubbel bovenhuis, waarvan de tweede etage geschikt is voor zelfstandige bewoning. Sinds haar dochter en haar vriend, die daar gewoond hebben, een eengezinswoning hebben gekocht speelt ze al met de gedachte om die etage te verhuren, maar ze wil absoluut geen student in haar huis hebben. Die maken te veel herrie," grijnsde ze. „Een advertentie zetten wil ze ook niet, omdat ze bang is dat daar allerlei rare types op af komen. Zal ik het eens vragen voor je?"

„Graag," antwoordde Connie gretig. „Het liefst zo snel mogelijk. Die etage is al leeg, begrijp ik?"

„Je kunt er zo in," beaamde Kelly. Op aandringen van Connie liep ze meteen naar het kantoortje om haar tante te bellen en ze kwam even later terug met de mededeling dat Connie diezelfde avond mocht komen kijken. „Ik heb je flink aanbevolen," zei ze lachend.

„Je bent een engel, dank je wel," prees Connie haar.

Kelly haalde haar schouders op. „Geef me maar een flinke salaris- verhoging, dan praten we nergens meer over."

De etage beviel Connie op het eerste gezicht. De twee kamertjes, de keuken en de douche waren weliswaar klein, maar fris geschilderd in lichte kleuren. De vloer bestond uit houten planken die er nog prima uitzagen en overal hingen gordijnen. Het enige wat ze hoefde te doen was haar meubels neerzetten en een keukenuitzet aanschaffen. Nog voor de kerstdagen slaagde ze erin om het hoogstnodige te kopen en een busje te huren om haar spullen over te brengen. Nu de beslissing eenmaal gevallen was wilde ze ook zo snel mogelijk weg uit de flat, ondanks Arnouds protesten.

„Wat zeur je nou, wees blij dat ik ruimte voor Judy maak," zei Connie daar hatelijk op. „Kunnen jullie gezellig samen de feestdagen vieren. Romantisch onder de kerstboom met zijn tweeën."

„Daar hoor jij bij te zijn," hield Arnoud vol. „We willen je niet weg hebben."

„Daar heb ik anders weinig van gemerkt," zei Connie afwijzend. „Je keus is duidelijk."

„Er is geen sprake van een keus. Judy wordt mijn vrouw, jij bent mijn zus. Ik hou van jullie allebei. Waarom moet het op deze manier gaan?" vroeg Arnoud wanhopig.

Connie had daar geen antwoord meer op gegeven. De avond voor kerst trok ze in haar nieuwe behuizing en liet ze de jaren met Arnoud achter zich. Zonder om te kijken trok ze de deur achter zich dicht. Niemand kon vermoeden hoeveel pijn het haar deed, toch kon ze niet anders. Weer lag er een periode definitief achter haar.

In haar nieuwe kamer keek ze onwennig om zich heen. Hier zou ze de komende tijd dus wonen, te beginnen met de feestdagen. Van haar hospita zou ze weinig last hebben, wist ze. Mevrouw Grauw had haar de sleutel gegeven en gezegd dat ze zelf over het algemeen weinig thuis was. De enige regel die ze gesteld had was dat er na twaalven 's avonds geen herrie gemaakt mocht worden en dat ze verwachtte dat Connie de boel schoon zou houden, dat was alles. De stilte in het huis drukte zwaar op haar.

Er moest nog een heleboel uitgepakt, ingeruimd en opgehangen worden, maar Connie was te moe om nog iets te doen. De drukte op de zaak van de afgelopen weken en de slapeloze nachten lieten zich gelden. Uit een verhuisdoos pakte ze haar toiletspullen en haar nachtgoed en om kwart over acht lag ze al in bed. Ze viel direct in slaap.

HOOFDSTUK 15

„Wat een vreemde kerst," merkte Judy peinzend op. Ze staarde naar het piepkleine kerstboompje op tafel. Door de gebeurtenissen van de afgelopen weken en wegens gebrek aan tijd, was dit de enige versiering in de flat. „Vorige week was ik de wanhoop nog nabij en nu zit ik hier samen met jou. Als die problemen met Connie er niet waren geweest, zou ik nu perfect gelukkig zijn. Hoe zou zij deze dagen doorbrengen?"

„In alle stilte, vrees ik," antwoordde Arnoud somber. „Ik heb een paar keer geprobeerd met haar te praten en ik heb haar diverse malen gezegd dat we hopen dat ze hierheen komt, maar ze blijft weigeren. Ze heeft je niets te zeggen, beweert ze."

„Dit is allemaal mijn schuld," zei Judy triest. „Ik wilde dat ik de tijd terug kon draaien, Arnoud."

„Dat moet je niet zeggen. Jouw misstap heeft ook veel goeds voortgebracht." Met een teder gebaar legde hij even zijn hand op haar buik.

„Maar ten koste van wat? Connies leven is verwoest door wat ik gedaan heb."

„Ook door haar eigen houding," meende Arnoud echter. „Nee, kijk maar niet zo verbaasd naar me, dit meen ik echt. Ze blijft hangen in alles wat er gebeurd is en ontzegt zichzelf op deze manier een heleboel goede dingen. Ze had nu hier kunnen zijn, bij mensen die van haar houden, maar ze kiest ervoor om eenzaam op haar etage te blijven kniezen. Dat klinkt hard, dat weet ik, maar zo bedoel ik het niet. Ik kan er wel begrip voor opbrengen en ik vind het vreselijk, helaas ben ik niet bij machte om er iets aan te veranderen. Ze hoeft maar te kikken en ik doe het voor haar, maar ze wil niet."

„In haar plaats had ik waarschijnlijk precies hetzelfde gedaan," zei Judy. „Ik kan me heel goed voorstellen hoe ze zich moet voelen, zeker naar mij toe."

„Vlak haar woede tegenover mij anders ook niet uit," onderbrak Arnoud haar ongewild humoristisch. „Ze kon me wel wurgen toen ik haar vertelde dat wij het weer goedgemaakt hadden en dat jij hier kwam wonen."

Judy kroop tegen hem aan op de brede bank. Ze was zielsgelukkig dat Arnoud terug was in haar leven en alles tussen hen weer goed was, maar haar schuldgevoel tegenover Connie zorgde ervoor dat ze er niet optimaal van kon genieten.

„Hebben we hier wel goed aan gedaan?" vroeg ze ernstig. „We bouwen ons geluk op haar ongeluk."

„Zo moet je het niet zien. Als ik Connie ermee zou helpen om zonder jou verder te leven, was het een ander verhaal. Maar dat is niet zo. Onze relatie verbreken verandert nu eenmaal niets aan de feiten, er zouden alleen nog meer mensen diep ongelukkig worden. Ze zal zelf een manier moeten vinden om hiermee om te gaan, hoe dan ook. Ze wordt er echter niet gelukkiger van als wij niet samen verder gaan."

„Maar dan wordt ze er tenminste niet voortdurend mee geconfronteerd," merkte Judy spits op.

„Het helpt anders niet om moeilijkheden uit de weg te gaan, je moet ze juist tegemoet treden. Maar laten we alsjeblieft ergens anders over praten. We kunnen dit onderwerp eindeloos uit blijven kauwen, maar dat heeft geen enkel nut. Ik heb er alles voor over om het weer goed te krijgen tussen haar en mij, maar het moet van haar uitgaan. Onze deur staat in ieder geval altijd voor haar open en dat weet ze ook. Ik hoop dat ze de stap zet."

„Voor iemand die ergens anders over wil praten, ga je er anders aardig lang op door," lachte Judy. Ze kietelde hem plagend in zijn zij. „Nou, kom op, verzin dan eens een ander onderwerp."

„Onze trouwdag bijvoorbeeld," ging Arnoud daar meteen op in. „Wanneer gaan we de grote stap wagen? Ik dacht zelf aan eind januari, maar als jij er een grootse dag van wilt maken hebben we meer tijd nodig voor de voorbereidingen."

„Nee hoor. Ik wil het rustig houden. Gewoon de plechtigheid op het stadhuis en daarna een etentje voor familie en vrienden, al zijn dat er dan niet veel. En dan daarna lekker een weekendje weg met zijn tweeën."

„Komt voor elkaar, mevrouw. Nog meer wensen?" vroeg Arnoud.

„Ja." Ze beet op haar onderlip en zuchtte. „Dat Connie erbij is. De band tussen ons drieën was zo sterk, ik kan me niet voorstellen dat wij trouwen zonder haar aanwezigheid."

Hij verstevigde de greep om haar schouder. Dit was iets wat ze allebei vurig hoopten, maar waarvan ze tegelijkertijd wisten dat de kans heel klein was.

Connie bracht de kerstdagen inderdaad in alle eenzaamheid door. De muren van haar kleine etage leken wel op haar af te komen, zo benauwde de stilte haar. Eenzaamheid was een gevoel dat ze kende en dat ze eerder ervaren had, maar nooit was het zo erg geweest als nu het geval was. Zeker na de maanden waarin ze zoveel met zijn vieren opgetrokken hadden, viel het haar extra zwaar. Het verschil was te groot. De eerste kerstdag bracht ze bijna geheel in bed door, te moe om iets te doen en te lamlendig om ook maar iets te ondernemen. Her en der stonden er nog dozen en koffers in haar kamer en de muren grijnsden haar nog kaal en leeg toe, maar ze had geen zin om daar iets aan te doen. Waarom zou ze het gezellig maken voor haar alleen? Tweede kerstdag had ze echter zo genoeg van haar bed dat ze toch maar opstond en de handen uit de mouwen stak. Halverwege de middag was haar etage zo goed als klaar. Al haar spullen hadden een plekje gekregen, ze had wat leuke dingen aan de muren gehangen en haar nieuwe keukeninventaris was opgeborgen, klaar voor gebruik. Op haar nachtkastje lag een stapeltje boeken waar ze nog niet eerder aan toegekomen was, maar zin om te lezen had ze niet. Ze kon zich toch nergens op concentreren, dat wist ze van tevoren. Ook het programma op tv boeide haar niet. Doelloos drentelde ze door haar kamer, hier en daar iets oppakkend en verzettend. Daarna staarde ze uit het raam. Het uitzicht op de donkere, smalle straat was niet bepaald spectaculair te noemen. In het huis recht tegenover het hare zag ze een groep mensen lachend en pratend aan een grote eettafel zitten. Zo te zien hadden ze het enorm naar hun zin met elkaar. Connies mond vertrok even in een bittere grimas. Kerstmis, het feest van vrede en gezelligheid. Nou, voor haar duidelijk niet. Ze verlangde naar het gezelschap van Arnoud, maar was te koppig om naar hem toe te gaan nu ze Judy op haar plek in de flat wist. Zij wel, dacht ze kwaad. Zij waren wel vrolijk en gelukkig op dat moment, in tegenstelling tot haar. Ze wist achteraf niet hoe lang ze naar het gezelschap aan de overkant had gestaard, maar ze stond er nog toen de spelletjes van tafel verdwenen en het serviesgoed neer werd gezet. Met een schok realiseerde ze zich dat ze de hele dag nog niets gegeten had. Haar maag begon meteen heftig te protesteren bij deze ontdekking. Ze smeerde wat crackers en at die staande aan het aanrecht op. Haar kerstdiner, dacht ze met galgenhumor. Het leek verdacht veel op het eerste kerstfeest na de dood van hun ouders. Toen had ze zich ook eenzaam en ongelukkig gevoeld en was het kerstdiner in het water gevallen, maar toen had ze Arnoud tenminste nog naast zich gehad. Zonder hem was ze die eerste tijd niet doorgekomen, wist ze. Hij was in die tijd haar plechtanker waar ze zich stevig aan vastgegrepen had. Ze had gedacht dat het altijd zo zou blijven en dat de band die in die dagen tussen hen gesmeed werd, onverbrekelijk was. Wat kon een mens zich vergissen! Niets was voor eeuwig, dat wist zij toch als geen ander. Geluk was een zeer broos bezit, dat ieder moment in scherven uiteen kon vallen. Helaas had ze daar ervaring in. Hun gezinsleven vroeger was ook altijd gelukkig en hecht geweest, tot aan die ene fatale dag. In één klap was alles weg, net zoals ze nu alles plotseling verloren had. Haar grote liefde, haar broer, haar vriendin, niets was er meer over van de gouden tijd die achter haar lag.

De gedachte aan haar ouders en de benauwde sfeer in haar kleine kamer deden Connie besluiten naar het kerkhof te wandelen. De laatste keer dat ze daar geweest was, was toen ze op weg gingen voor hun korte vakantie, herinnerde ze zich met pijn in haar hart. Die dag had ze haar ouders verteld hoe gelukkig ze was. Dit keer had ze heel iets anders te melden. Met de handen in de zakken van haar lange jas geborgen en haar hoofd gebogen, liep ze door de stille, donkere straten van de stad. Bij veel huizen waren de gordijnen open en ze wilde niet kijken naar de gelukkige gezinnetjes die gezamenlijk het kerstdiner nuttigden. Het was een lange wandeling, maar de buitenlucht deed haar goed. Bij het kerkhof aangekomen ging ze langzamer lopen, zoals ze onbewust altijd deed hier.

De weg die leidde naar de grafstenen van haar ouders kon ze wel dromen, ze was hier al zo vaak geweest. Plotseling stond ze met een schok stil. Ze was niet de enige die op het idee was gekomen om haar ouders te bezoeken. Bij het graf stonden twee stille figuren, met de armen om elkaar heen geslagen. Met een misselijk gevoel herkende Connie Arnoud en Judy in de donkere silhouetten. Arnoud, die nooit zo'n behoefte had gevoeld om naar het graf te gaan, maar die alleen steeds meeging voor haar. En nu stond hij hier met Judy. Zonder geluid te maken liep Connie langzaam achteruit. Ze wilde geen confrontatie met ze, niet op deze plek. Terwijl de tranen over haar wangen liepen glipte ze het hek door naar de straat. Zelfs dit hadden ze van haar afgenomen, dacht ze onredelijk.

Onbewust van wat zich achter hen afspeelde bleven Arnoud en Judy staan, de eerste diep in gedachten verzonken. Weer was er een nieuwe fase in zijn leven aangebroken, toch zouden de herinneringen aan vroeger nooit vervagen. Hij vond het jammer dat hij zijn ouders geen deelgenoot kon maken van wat zich nu allemaal afspeelde. Vooral zijn moeder wist hoe hij altijd naar een eigen gezin had verlangd. Zij zou het heerlijk voor hem gevonden hebben dat die wens nu uitkwam, wist hij. Zijn vader zou er wat sceptischer tegenover hebben gestaan, maar ongetwijfeld zou hij zijn bijgedraaid na de geboorte van de baby. Arnoud kon zich levendig voorstellen hoe zijn vader met het kindje om zou gaan. Biologisch gezien was de baby uiteraard niets van hen, toch was hij ervan overtuigd dat zijn ouders hem of haar zonder bedenkingen als kleinkind zouden accepteren. Als ze nog hadden geleefd, zouden ze nu met zijn allen in hun ouderlijk huis onder de kerstboom hebben gezeten.

Op dat punt van zijn gedachten aangekomen schudde hij zijn hoofd. Hij moest niet zo doordraven. Als hun ouders nog hadden geleefd, was alles heel anders gelopen en had hij waarschijnlijk nog nooit van Judy gehoord. Connie en hij zouden dan de hele kerst hebben lopen bekvechten, zoals ze vroeger altijd deden. In al die jaren dat ze samen in hun ouderlijk huis hadden gewoond, was er geen dag voorbijgegaan zonder minstens één hoog oplopend verschil van mening tussen hen tweeën. Maar ze wás er tenminste, in tegenstelling tot nu. Dit was de eerste kerst van zijn leven zonder dat Connie erbij was.

„Waar denk je aan?" vroeg Judy na verloop van tijd.

„Aan Connie," antwoordde hij naar waarheid. „En aan vroeger, hoe het toen was. Dit is de eerste keer dat ik kerst vier zonder Connie erbij, dat is zo vreemd."

„Dan gaan we toch even naar haar toe?" stelde Judy voor, alsof er niets aan de hand was.

„Denk je dat ze dat op prijs zal stellen?" vroeg Arnoud sceptisch.

„Waarschijnlijk niet, maar dat vind ik geen reden om het niet te doen. Als wij geen pogingen in de goede richting wagen verandert er misschien nooit meer iets. Ze moet blijven voelen dat we aan haar denken en om haar geven, misschien dat het dan ooit weer kan worden als vroeger," merkte Judy bedachtzaam op.

„En als ze ons wegstuurt?"

„Dan gaan we weg, maar proberen we het volgende week weer.

Net zo lang tot ze ons binnenlaat en we een normaal gesprek kunnen voeren."

Arnoud schoot in de lach. „We gaan ons dus gewoon ordinair aan haar opdringen."

„Als je het zo wilt noemen. Ik zeg liever dat we de band blijven aanhalen voordat hij te los wordt om te herstellen. Mijn vriendschap met Connie heb ik door mijn eigen schuld verspeeld, dus ik zal er ook zelf alles aan doen om het weer goed te maken."

„Of ze wil of niet," grinnikte Arnoud onwillekeurig.

Deze aanpak sprak hem op zich wel aan. Op de een of andere manier moesten ze toch door Connie heen dringen en het pantser van woede en verbittering dat ze om zich heen had gebouwd afbreken. Als het van haar afhing, was de kans groot dat er nooit iets gebeurde. De band tussen hen was te hecht om op deze manier verloren te laten gaan.

Dus stapten ze in de auto en reden ze door de binnenstad naar het huis waar Connie haar etage had. Op hun bellen werd echter niet opengedaan, constateerden ze teleurgesteld, niet wetend dat Connie lopend dezelfde route aflegde als zij met de auto hadden gedaan. Net toen ze onverrichter zake terug wilden gaan, kwam ze de hoek om. Ze reageerde net zo als een half uur geleden, weer bleef ze stofstijf staan bij het zien van de twee mensen op haar stoep. Wat was dit? Het leek wel of ze aan achtervolgingswaanzin leed!

„Waarom laten jullie me niet met rust?" zei ze hard.

„Connie! Gelukkig." Arnoud liep op haar toe en op de hem vertrouwde wijze legde hij zijn handen op haar schouders. Dat had hij zo vaak gedaan de afgelopen jaren. „Ik ben blij dat je er bent."

„Wat komen jullie doen?" vroeg ze vijandig.

„We komen gewoon bij je op bezoek," verklaarde Arnoud kalm. „Zo vreemd is dat toch niet? Ik ben je broer, bovendien is het kerst."

„Hallo Connie," zei Judy nu. Gespannen keek ze de vrouw die tot voor kort haar beste vriendin was aan.

Connie groette onwillig terug. Ze wilde het niet laten merken, maar diep in haar hart was ze blij met deze onverwachte visite. Ze waren haar dus toch niet vergeten! Dat stemde haar gelukkiger dan ze toe wilde geven. Ze stuurde hen dan ook niet weg, zoals Arnoud en Judy gevreesd hadden, maar opende de deur en ging hen voor naar boven, al was het niet echt van harte.

„Ik kan jullie weinig te drinken aanbieden, want ik heb nog geen tijd gehad om boodschappen te doen. Er is alleen koffie," zei ze stuurs.

„Koffie is prima." Judy blies op haar handen, die behoorlijk koud waren geworden. „We zijn naar het kerkhof geweest en ik ben ver-kleumd."

Connie zei niet dat ze dat al wist, zonder commentaar begon ze in het keukentje de koffie klaar te maken. Even later zaten ze tegen-over elkaar in haar zithoek, in een gespannen sfeer.

Als wildvreemden spraken ze over koetjes en kalfjes, precaire onderwerpen zoals relaties en Judy's zwangerschap werden door hen allemaal vermeden. Na een half uur vond Judy het welletjes en ze stond op. De eerste stap op weg naar hun oude vriendschap was gezet, voor nu was het wel even genoeg, oordeelde ze.

„Bedankt voor de koffie," zei ze hartelijk. „We komen snel nog een keer."

„Waarom? Zodat jullie me goed in kunnen wrijven hoe gelukkig jullie samen zijn?" vroeg Connie spottend.

Even was Judy van haar stuk gebracht. Dat Connie niet overdre-ven vriendelijk was kon ze begrijpen, maar deze vijandigheid had ze niet verwacht nadat ze hen binnen had gelaten.

„Nee, omdat je mijn vriendin bent," zei ze toen rustig. „En Arnouds zus. Familie is kostbaar, Connie, die moet je koesteren. Evenals vriendschap trouwens."

„Dat klinkt behoorlijk vreemd uit de mond van iemand die de

partner van haar vriendin verleid heeft."

„Ik heb Jerry niet verleid. Hij begon me te zoenen en ... Nou ja." Ze schokte met haar schouders. „Ik weet niet waarom ik erin meeging. Er is geen verklaring voor en ook geen excuus, dat besef ik maar al te goed. Ik kan je alleen verzekeren dat zoiets nooit en te nimmer meer zal gebeuren."

„Nee, omdat Jerry niet meer in het zicht is. Dankzij jou," merkte Connie hatelijk op.

Arnoud keek van de een naar de ander. De kant die het gesprek opging beviel hem niet, toch besloot hij zich er niet mee te bemoeien. Dit was iets tussen de twee vrouwen.

„Is het nooit bij je opgekomen dat Jerry wellicht niet de juiste man voor jou is? Als hij geen gezin wil en jij wel, hebben jullie samen een levensgroot probleem, wat niet zomaar op te lossen is."

Connie snoof minachtend. „Heerlijk dat je zoiets kunt zeggen, hè? Verlicht het veel van je schuldgevoel? Nog even en dan moet ik je ook nog dankbaar zijn omdat jij ervoor hebt gezorgd dat het uit is gegaan tussen ons voordat die problemen echt gingen spelen."

„Jij hebt het uitgemaakt met Jerry, niet ik," zei Judy.

„Je speelde er anders geen onbelangrijke rol in."

„Eén misstap hoeft niet alles te verpesten, kijk maar naar Arnoud en mij. Hij heeft het me vergeven, kun jij dat niet opbrengen?" Smekend keek Judy haar aan.

Connie schudde langzaam haar hoofd. „Misschien ooit, maar nu nog niet. Ik weet dat ik jou erbij moet nemen als ik Arnoud niet kwijt wil raken en daar ben ik niet echt blij mee. Ik voel me behoorlijk verraden, door jullie allebei."

„Ik ben al blij dat je het niet totaal afwijst," zei Judy zacht. „Arnoud en ik trouwen eind volgende maand en we zouden het heerlijk vinden als jij daarbij wilt zijn. Je hoort erbij, Connie. Je hoort bij ons."

„Niet overdrijven," weerde Connie dat stug af. Ze draaide haar hoofd af om Arnouds ogen niet te hoeven zien. Hij was haar zo vertrouwd, het deed pijn dat er nu zo'n afstand tussen hen was. Ze wist dat die afstand voornamelijk te wijten was aan haarzelf, toch was ze op dat moment niet bij machte om daar iets aan te veranderen.

Nog lang nadat ze weg waren gegaan bleef ze stil op de bank zitten. Dit onverwachte bezoekje had haar toch goed gedaan, ondanks alles. Het bewees in ieder geval dat ze aan haar dachten en haar graag bij hun leven wilden betrekken. Alleen kon ze dat nog niet opbrengen. Het was moeilijk om getuige te moeten zijn van hun geluk, vooral omdat Judy in dit verhaal de hoofdschuldige was en alles toch goed was uitgepakt voor haar terwijl zijzelf de dupe was geworden van deze hele situatie. In ieder geval was er nu weer een kleine opening naar hen toe en daar kon ze alleen maar blij om zijn, al zou het nooit meer worden zoals vroeger.

HOOFDSTUK 16

Tussen al deze perikelen door ging het werk in de lunchroom gewoon verder, hoewel Connie minder plezier in haar werk had dan daarvoor. De ziel was eruit. De samenwerking met Arnoud verliep zakelijk gezien weliswaar nog steeds goed, maar op het persoonlijke vlak ging het stroef tussen hen. Natuurlijk bleef dat niet onopgemerkt voor het personeel en er werd onderling heel wat geroddeld en gespeculeerd over de oorzaak. Niemand wist er echter het fijne van, al was inmiddels wel bekend dat de relatie tussen Jerry en Connie verbroken was, dat Judy zwanger was en dat Arnoud en Judy gingen trouwen. Vraagtekens over het vaderschap had niemand. Waarom zouden ze ook? Arnoud waardeerde het dat Connie daar tegenover iedereen haar mond over hield, al gooide zij hem een keer voor de voeten dat ze dat alleen deed om zichzelf de vernedering te besparen van toe te moeten geven dat haar vriend haar bedrogen had.

„Denk vooral niet dat ik mijn mond hou om jou en Judy te sparen," voegde ze er hatelijk aan toe.

„Vind je het niet eens tijd worden om je daaroverheen te zetten?" had Arnoud vermoeid gevraagd. „We hebben alle begrip voor je, maar langzamerhand begin je vervelend te worden."

„Wat heb jij toch makkelijk praten vanuit je eigen luxe, gelukkige positie," gaf Connie daarop als weerwoord. „Zolang jij niet voelt wat ik voel, kun je niet over me oordelen."

Dergelijke woordenwisselingen waren aan de orde van de dag. Connie liet geen gelegenheid voorbijgaan om Arnoud opmerkzaam te maken op het feit dat zij het onschuldige slachtoffer was, degene die er het slecht van allemaal van afgekomen was. Zo bleef de verhouding gespannen. Aan Judy en Arnoud lag dat niet, zij deden er alles aan om zo normaal mogelijk met Connie om te gaan. Judy kwam een paar keer per week naar de lunchroom toe en minimaal eens per week bezocht ze Connie op haar kamer.

Soms was het dan even weer als vanouds en betrapte Connie zichzelf erop dat ze vrolijk met Judy zat te kletsen. Zodra ze dat merkte nam ze echter haar aangeleerde, stugge houding weer aan. Dan sloeg ze om als een blad aan een boom en wierp ze haar vroegere vriendin voor de voeten dat ze wat haar betrof niet zo vaak hoefde te komen, want dat ze helemaal geen behoefte had aan contact met haar.

„We laten je niet los," zei Judy rustig toen dat weer een keer gebeurde. „Hoe je ook tegenspartelt. We zullen er altijd voor je zijn, Connie, en dat weet je."

„Ik heb er niet zo'n zin in om getuige te moeten zijn van jullie gelukkige gezinsleventje," zei Connie narrig.

„O jawel, je wilt er heel graag deel van uitmaken, maar op de een of andere manier durf je dat niet toe te geven," meende Judy echter. „Maar de tijd heelt alle wonden, vergeet dat niet. Ooit kom je zelf ook tot dat besef en Arnoud en ik willen niet dat de weg terug dan afgesneden is of zo ontoegankelijk is geworden dat je hem niet meer durft te betreden."

Zo ging de tijd voorbij en de trouwdag van Arnoud en Judy naderde. Connie had een uitnodiging gekregen en ze hadden haar meerdere malen dringend verzocht om te komen, maar ze kon het niet. Op de bewuste dag stond ze op met een misselijk gevoel in haar maag. Vanwege de bruiloft was de lunchroom die dag gesloten, dus afleiding in haar werk had ze niet. Al hun personeelsleden zouden uiteraard wel naar de plechtigheid op het stadhuis gaan en Connie wist dat er heel wat roddelverhalen los zouden komen als zij verstek liet gaan, maar ze kon zich er echt niet toe zetten. Ze zou haar afwezigheid tegenover iedereen wel verklaren door te zeggen dat ze ziek geworden was. Desnoods bleef ze nog een paar dagen thuis van het werk om dat verhaal wat aannemelijker te maken. Een plotselinge voedselvergiftiging of zo kon tenslotte iedereen overkomen en niemand kon in zo'n geval verwachten dat ze naar een bruiloft ging, zelfs niet die van haar eigen broer. Wel belde ze de bloemist om een bloemstukje te laten bezorgen, waar ze zelf even later een persoonlijk briefje bij voegde.

Het werd een moeilijke dag voor Connie. Ze bleef maar naar de klok aan de muur kijken. Nu gaan ze het stadhuis in, nu is de plechtigheid in volle gang, nu gaan ze naar de felicitatiekamer, dacht ze steeds. Het was een bizar idee dat Arnoud trouwde zonder dat zij daarbij was. Twee maanden geleden had dat nog onvoorstelbaar geleken. Maar twee maanden geleden was de wereld nog licht en zonnig geweest voor haar, terwijl ze nu het gevoel had dat ze langzaam maar zeker weggleed in een diepe, bodemloze put.

„Zou ze komen?" vroeg Arnoud gespannen terwijl hij met trillende vingers zijn stropdas probeerde te strikken.

„Eerlijk gezegd denk ik het niet, nee," antwoordde Judy voorzichtig. Ze wist hoeveel pijn dit hem moest doen. Liefdevol nam ze het strikken van de onwillige stropdas voor haar rekening, daarna gaf ze hem een zoen. „Connie voert momenteel een hevige strijd met zichzelf. Ze wil wel, maar kan het niet. Het is waarschijnlijk nog allemaal te vers voor haar, gun haar wat tijd."

„Dit is de gelukkigste dag van mijn leven, daar hoort ze bij te zijn."

„We kunnen de bruiloft nog uitstellen als je dat wilt," stelde Judy voor. „Dan wachten we tot alles weer goed is tussen jou en haar."

„Als dat ooit gebeurt," merkte hij somber op.

„Natuurlijk wel. Je moet een beetje vertrouwen hebben," zei Judy optimistisch. „Jullie band is veel te sterk om zomaar verbroken te worden. Ze heeft jou net zo hard nodig als jij haar, alleen wil ze dat nu niet toegeven. De klap is hard aangekomen bij haar. Niet alleen de breuk met Jerry, ook het feit dat wij weer samen zijn. Ze gunt je het geluk heus wel, alleen had ze liever een andere vrouw aan je zijde gezien. Ik herinner haar te veel aan alles wat er gebeurd is en niemand kan dat haar kwalijk nemen."

„Maar ik wil geen andere vrouw, nooit meer." Arnoud keek naar haar zoals ze daar voor hem stond in haar bronskleurige, korte trouwjurk, die de lichte bolling in haar buik camoufleerde. Haar haren waren opgestoken in een ingewikkeld kapsel, versierd met kleine bloemetjes. Hij had zich zijn toekomstige vrouw altijd voorgesteld in een lange, witte jurk met een sleep en een sluier, toch was Judy de mooiste bruid die hij ooit had gezien. Haar groene ogen straalden hem warm tegemoet en hij voelde een golf van liefde door zijn lichaam heen gaan.

„We stellen niets uit," zei hij ineens beslist terwijl hij haar in zijn armen nam. „Ik wil met je trouwen en wel vandaag. We proberen nergens anders aan te denken, schat. Dit is onze dag."

Hij kuste haar innig en oprecht, toch wist Judy dat het hem moeite zou kosten om niet voortdurend aan Connie te denken. Maar misschien kwam ze toch nog, al had ze er zelf een hard hoofd in. Ze kende Connie inmiddels aardig goed.

Arnoud bracht het gespreksonderwerp niet meer op zijn zus, maar Judy zag hem bij het stadhuis zoekend om zich heen kijken. Tot het laatste moment toe bleef hij hopen dat ze op zou komen dagen. Het gesmoes van de enkele genodigden, die zich eveneens afvroegen waar Connie bleef, maakte dat er niet beter op. Judy's familieleden waren er wel en haar moeder vroeg rechtstreeks waarom de zus van Arnoud er niet bij was.

„Connie is plotseling ziek geworden," verklaarde Judy kalm. Ze voelde de hand van Arnoud zich om haar arm klemmen. „Ze wilde per se dat ons huwelijk toch door zou gaan, ook al stonden wij op het punt om alles af te blazen." Ze sprak expres hard, zodat iedereen haar kon horen. Kelly en Mariska keken elkaar veelbetekenend aan. De gespannen verhouding tussen hun werkgevers was niet onopgemerkt gebleven en ze dachten er het hunne van, al zei niemand iets.

Het werd een eenvoudige, sobere bruiloft, precies zoals Arnoud en Judy dat zelf wilden. Ooit had Judy wel gedroomd van een groot feest en een lange, witte jurk, maar in de gegeven omstandigheden leek haar dat niet gepast. Het deed er trouwens niet meer toe, zolang Arnoud maar naast haar stond. Haar liefde voor hem was intens en als hij maar gelukkig was, dan was zij het ook. Hij was het voor haar, ook al had ze dan destijds in een vlaag van verstandsverbijstering het bed gedeeld met Jerry. Judy kon daar zelf nog steeds geen verklaring voor geven. Het was gewoon gebeurd, hoe slap dat ook in haar eigen oren klonk. Arnoud neigde er tegenwoordig naar om te denken dat het voorbestemd was geweest, zodat hij op deze manier alsnog zijn felbegeerde gezin kon krijgen, maar die gedachtengang ging haar te ver. Ze was wel degelijk zelf verantwoordelijk voor haar daden, wist Judy. Daarom zou ze er ook alles aan doen om Arnoud zo gelukkig mogelijk te maken en hem haar misstap te doen vergeten. Haar pogingen om de vriendschapsband met Connie te herstellen, hoorden daar ook bij. Nog afgezien van het feit dat ze zelf niets liever wilde dan opnieuw bevriend zijn met haar schoonzus, wist ze ook dat Arnouds leven pas compleet was als zij er weer als vanouds deel van uit zou maken.

Na de korte plechtigheid liepen ze stralend naar buiten, arm in arm en gevolgd door hun familieleden en vrienden. Het stadhuis was gevestigd in de binnenstad en vele winkelende mensen wierpen een nieuwsgierige blik op het bruidspaar. Zo ook een passerende man, die even zijn pas inhield, een vluchtige blik op de naar buiten komende mensen wierp en toen verbaasd stil bleef staan.

„Nee maar," zei hij toen Arnoud en Judy langs hem heen liepen zonder hem op te merken. „Arnoud en Judy als man en vrouw. Wat ben ik daar blij om. Voor jullie is alles uiteindelijk dus toch ten goede gekeerd."

Arnoud keek met een strak gezicht naar hem, Judy bloosde toen ze Jerry herkende.

„Wat doe jij hier? Je hebt hier niets te zoeken," zei Arnoud kortaf. Het laatste waar hij nu op zat te wachten was op een confrontatie met de biologische vader van zijn toekomstige kind. Het liefst zou hij willen dat Jerry volledig van de aardbodem verdween, dat zou de zaken een stuk eenvoudiger maken.

„Ik kwam toevallig langs en zag jullie naar buiten komen. Mag ik jullie hartelijk feliciteren?" Hij stak zijn hand uit, een gebaar dat Arnoud volkomen negeerde. Judy wilde de naar haar toegestoken hand wel aanpakken, maar durfde het niet. Langzaam liet Jerry hem weer zakken.

„Ik begrijp het al, ik hoor hier niet bij. Toch meende ik het toen ik net zei dat ik erg blij ben voor jullie. Nu heb ik tenminste maar één verbroken relatie op mijn geweten en geen twee. Hoe is het met ..." Hij liet even zijn ogen over Judy's lichaam glijden, maar omdat Judy's zusje bij hen kwam staan om te informeren waar ze bleven, maakte hij zijn vraag niet af.

„Daar heb jij geen moer mee te maken," snauwde Arnoud. Hij pakte Judy bij haar arm en liep weg, achter hun gasten aan.

„Moest dat nou zo?" vroeg Judy hem zachtzinnig. „Jerry meende het, dat kon je zien."

„Je schijnt hem toch aardig goed te kennen als je dat aan zijn gezicht af kunt lezen," zei Arnoud op spottende toon.

„Geen insinuaties alsjeblieft. Dit was niet nodig, Arnoud, je deed ronduit onbeschoft tegen hem."

„We hebben totaal niets meer met die man te maken."

„Dat is niet helemaal waar en dat weet je maar al te goed. Je wilt het alleen niet weten," merkte Judy fijntjes op. Ze pakte zijn hand en kneep er even in. „Wat mij betreft hoef je nergens bang voor te zijn, ik dacht dat je daar wel van overtuigd was. Maar hoe je het ook wendt of keert, hij blijft de vader van de baby. Als hij contact met hem of haar wil, kan ik dat niet verhinderen."

„O jawel," zei Arnoud grimmig.

„Je bent onredelijk. Wees blij dat hij zo integer was om zijn zin niet af te maken toen mijn zus erbij kwam staan. We weten allebei wat hij wilde vragen."

„Daar is hij dan te laat mee. Als hij zo nodig de vaderfiguur uit wil hangen, had hij wel eerder naar je toe kunnen gaan. Na die bewuste avond waarop alles uitkwam heeft hij je net zo goed laten barsten," siste Arnoud haar toe.

Judy kon hier geen antwoord meer op geven omdat ze inmiddels het restaurant bereikt hadden waar ze, samen met hun gasten, het diner zouden nuttigen. Ze kwamen als laatsten binnen en werden juichend ingehaald, zodat er geen gelegenheid meer was voor een gesprek.

Het kleine incident wierp een schaduw op hun dag, hoewel Arnoud zich vermande en verder net deed of er niets aan de hand was. Judy begreep echter dat het laatste woord hier nog niet over gesproken was. Arnoud verdedigde zijn territorium met hand en tand, het was een kant van hem die ze nog niet kende. Hij beschouwde de baby als zijn eigen kind en Jerry vormde daarin een bedreiging. Dat zou nog wel eens de nodige problemen kunnen geven in de toekomst, als Jerry zijn rechtmatige rol als vader op wilde eisen.

Jerry was voor het stadhuis blijven staan, maar het gezicht dat hij hoopte te zien tussen de gasten van het kersverse bruidspaar was er niet. Zijn hersens werkten in een razend tempo. Als Connie niet aanwezig was op de bruiloft van haar geliefde broer, moest er heel wat aan de hand zijn. Het was voor hem niet moeilijk om één en één bij elkaar op te tellen, dus hij begreep in grote lijnen hoe de situatie in elkaar moest steken. Er kwamen nog enkele mensen uit het stadhuis die niet voor het diner uitgenodigd waren en in twee daarvan herkende Jerry Kelly en Mariska, de serveersters van de lunchroom. Hij schoot op hen af.

„Connie is ziek," vertelde Kelly desgevraagd openhartig. „Jammer hè, precies op de trouwdag van Arnoud." Ze zei het op een toon waaruit hij begreep dat ze niets van die ziekte geloofde.

„Woont ze nog wel in de flat?" informeerde hij nonchalant.

Kelly schudde haar hoofd. „Nee, ze is verhuisd toen Arnoud en Judy hun huwelijk aankondigden." Ze pakte een briefje en een pen uit haar tas, schreef er iets op en overhandigde het blaadje aan Jerry. „Het gaat niet goed met Connie de laatste tijd," zei ze ronduit. „Ik weet niet of ik hier goed aan doe, maar hier is haar adres. Misschien heeft ze er iets aan als jij haar opzoekt."

„Dat hoop ik van harte," zei Jerry uit de grond van zijn hart. „Enorm bedankt, Kelly, ik ga meteen naar haar toe."

„Succes. Zorg dat het weer goed komt tussen jullie, ik denk dat de werksfeer dan een stuk prettiger wordt," grinnikte ze, onwetend van alle gebeurtenissen die tot de breuk hadden geleid.

Zonder aarzelen zette Jerry koers naar het bewuste adres. Het duurde even voor er open werd gedaan op zijn bellen, toen verscheen Connies tengere gestalte in de deuropening. Ze verschoot van kleur bij het zien van wie er voor haar deur stond.

„Wat kom jij doen?" vroeg ze. Ze wilde het vijandig laten klinken, maar haar stem begaf het, zodat het er heel zielig uitkwam.

„Het wordt tijd dat wij eens praten," zei Jerry kalm, maar vastberaden. Hij was niet van plan om zich weer weg te laten sturen door haar. „Deze toestand heeft nu lang genoeg geduurd, Connie."

„Kom dan maar binnen."

Terwijl ze voor hem uit de trappen opliep, vroeg Connie zich af waarom ze dit in hemelsnaam deed. Ze wilde toch niets meer met hem te maken hebben? Haar hart sprak echter een heel andere taal dan haar verstand. Het roffelde hoopvol in haar borstkas en sprong blij op bij de gedachte dat hij misschien nog steeds van haar hield en het goed wilde maken. In haar kamer wees ze hem een stoel, zelf ging ze op het puntje van de tweezitsbank zitten, tot het uiterste gespannen.

„Ik zag Arnoud en Judy uit het stadhuis komen," begon Jerry zonder omwegen. „Ze zijn vandaag getrouwd en jij was daar niet bij. Waarom niet, Connie?"

Ze knikte langzaam. „Het gelukkige bruidspaar," zei ze spottend.

„Ik zag het niet zo zitten om daar getuige van te zijn. Hun geluk is gebaseerd op mijn verdriet."

„Je hoeft niet verdrietig te zijn," merkte Jerry voorzichtig op. „Als het tussen hen weer goed gekomen is, kan dat voor ons ook. Ik ben vreselijk stom geweest, maar wat ik gedaan heb staat helemaal los van mijn gevoelens voor jou. Ik hou nog steeds van je."

„Het ligt voor ons even iets anders. Wat jullie gedaan hebben is niet goed te praten, maar daar is nog wel overheen te komen. Het gaat om de gevolgen."

„De baby," begreep Jerry. „Judy is dus nog wel zwanger? Dat dacht ik eigenlijk al, gezien Arnouds reactie toen hij mij zag. Hij leek wel een waakhond, Judy durfde niet eens mijn felicitaties in ontvangst te nemen." Hij grijnsde.

„Dat is Arnoud ten voeten uit," zei Connie, die dit wel vaker meegemaakt had in het verleden.

„De situatie ligt natuurlijk ook behoorlijk gecompliceerd."

„Dat hoeft het niet te zijn, het is maar net hoe je er tegenaan kijkt. Voor mij hoeft hij niet bang te zijn, ik voel me niet de vader van deze baby en ik ben zeker niet van plan om bepaalde rechten op te eisen."

„Dat klinkt wel erg simpel. Jij denkt dus werkelijk dat wij samen opnieuw kunnen beginnen, ook al wordt mijn broer de vader van de baby die jij verwekt hebt bij mijn vriendin?"

Ondanks het ernstige gespreksonderwerp schoot Jerry in de lach. „Jij maakt er een complete soap van," merkte hij op. „Lieve schat, doe alsjeblieft niet zo moeilijk. Arnoud en Judy houden van elkaar en ze zijn blij met hun gezinsuitbreiding. Jij en ik houden ook van elkaar, dus wat let ons om gewoon allemaal gelukkig te zijn? Je weet wat de aanleiding van mijn overspel was en ik kan je verzekeren dat ik sinds die avond geen druppel meer gedronken heb en ook niet van plan ben om dat ooit weer te doen. De prijs is me veel te hoog. De wetenschap dat ik jou kwijt ben geraakt door die stomme drank, houdt me tegen." Hij stond op en liep naar haar toe. Connie stribbelde niet tegen toen hij haar in zijn armen nam. „Het is een roerige tijd geweest, maar kunnen we het niet achter ons laten?" fluisterde hij in haar oor. „En gewoon weer verder gaan vanaf nu? Ik heb je gemist."

„Ik jou ook," gaf Connie toe. Het heerlijke gevoel van zijn aanwezigheid zo dicht bij haar, deed haar alle bezwaren uit het oog verliezen.

Ze nestelde zich in zijn armen en voelde zich alsof ze thuisgekomen was, al vertelde een klein stemmetje in haar hoofd haar dat het allemaal niet zo simpel lag. Maar daar wilde ze zich nu, op dit moment, geen zorgen over maken. Jerry was terug in haar leven, dat was voor nu even het allerbelangrijkste. En dat precies op deze dag, die zo moeilijk begonnen was voor haar.

HOOFDSTUK 17

„Vertel me dat het niet waar is." Als de wrekende gerechtigheid stond Arnoud tegenover Connie in het kleine kantoortje. Even daarvoor was hij vanuit de keuken de lunchroom ingestormd en had hij haar meegetroond.

„Wat niet?" vroeg Connie rustig, al begreep ze heel goed wat hij bedoelde. Ze had er echter een satanisch plezier in om hem te zien zweten. Net goed, dacht ze wraakgierig.

„Ik ving net een gesprek tussen Kelly en Mariska op waaruit bleek dat jij en Jerry het weer goedgemaakt hebben. Ik mag toch hopen dat dit klinkklare nonsens is?" Met een vorsende blik keek hij haar aan.

Connie knikte opgewekt. „Het verhaal klopt. Fijn voor mij, hè?" Dat laatste klonk ronduit tartend.

„Je lijkt wel niet goed bij je hoofd!" brieste Arnoud terwijl hij met zijn vlakke hand op het bureaublad sloeg.

„Precies datzelfde heb ik tegen jou gezegd na jouw verzoening met Judy," hielp Connie hem herinneren.

„Dat kun je niet met elkaar vergelijken."

„Waarom niet? Judy en Jerry zijn samen de fout ingegaan en als jij het Judy wel kunt vergeven, maar Jerry niet, dan meet je met twee maten. Waar blijf je nou met je gebazel over vergiffenis en dat ik mijn leven niet moet laten verpesten door één fout?"

Als twee kemphanen stonden ze tegenover elkaar, allebei aan een kant van het bureau.

„Ik gun je alle geluk van de wereld, maar niet met Jerry. Hij heeft je bedrogen."

„Judy jou ook. Verdorie, Arnoud, wat is dit? In eerste instantie, toen Jerry het goed wilde maken en ik de boot afhield, vertelde je me steeds dat ik niet zo star moest denken. Nu hebben we het bijgelegd en is het weer niet goed. Wat wil je nou eigenlijk? Bemoei je gewoon lekker niet met mijn relatie en richt je aandacht op je eigen vrouw en aankomend kind." Ineens ging Connie een lichtje op. „Is dat het soms?" vroeg ze, hem onderzoekend aankijkend. „Jij ziet Jerry als een bedreiging voor je gezinnetje en je wilt hem het liefst zo ver mogelijk uit de buurt hebben?"

„Onzin," antwoordde Arnoud afwerend. Connie zag echter aan het trekken van zijn mond dat ze regelrecht in de roos geschoten had met haar opmerking.

„Jij hebt je helemaal ingebeeld dat het jouw baby is en je wilt niet geconfronteerd worden met de biologische vader," zei ze triomfantelijk.

„Je kletst uit je nek. Jerry vormt absoluut geen enkele bedreiging voor ons geluk."

„Waarom heb je er dan zoveel problemen mee dat wij weer samen zijn?"

„Ik gun je iets beters, dat is alles. Vergeet niet wat een verdriet je hebt gehad toen het uitging tussen jullie."

Connie lachte honend. „Ja hoor, dat is het. Ik geloof je, maar niet heus. Nou, wees maar gerust, lieve broer, want Jerry heeft er geen behoefte aan om de vaderrol op zich te nemen."

„Nee, dat was te verwachten," sneerde Arnoud. „Hij loopt weg voor zijn verantwoordelijkheid, dat is vaker gebleken."

„Nou en? Dat is toch precies wat je wilt? Je spreekt jezelf keer op keer tegen. Laten we hier maar over ophouden, ik weet nu precies wat ik aan je heb."

„Wat bedoel je?"

„Je laat duidelijk merken dat jij je eigen hachje belangrijker vindt dan mijn geluk. Je vindt alles prima, zolang jij er maar geen last van hebt."

„Dat is niet waar!" protesteerde Arnoud heftig. „Dat is een infame beschuldiging, Connie. Jouw geluk heeft altijd bovenaan mijn lijstje gestaan, dat weet jij net zo goed als ik."

„Totdat je Judy had en mijn gevoelens plotseling niet meer meetelden," zei Connie bitter.

„Jij bent nog net zo belangrijk voor me als vroeger."

„Jammer dat ik daar weinig van merk. Eerst trouw je de vrouw die zwanger is van mijn vriend, vervolgens wil je dat ik de man van wie ik hou nooit meer zie omdat hij te bedreigend voor jou is."

„Je ziet de zaken niet zuiver, dat heb ik vaker gezegd." Vermoeid liet Arnoud zich op zijn bureaustoel zakken. De harde beschuldiging van Connie deed hem behoorlijk pijn. „Ik heb Jerry altijd graag gemogen, maar na dat slippertje heeft hij zijn ware gezicht laten zien. Terwijl hij uit alle macht probeerde om de relatie met jou te herstellen heeft hij Judy laten barsten. Niet één keer heeft hij contact met haar opgenomen om zijn hulp aan te bieden, hoewel ze wel zijn kind verwacht. En wat mijn huwelijk met Judy betreft, ik dacht dat jullie vriendinnen waren. Je was dolblij met haar als schoonzus, heb je altijd gezegd."

„Tot aan die bewuste vakantie, ja."

„Ze is daarna niet veranderd, jij wel."

„Natuurlijk, het is mijn schuld. Ik wist wel dat het die kant op zou gaan. Praat vooral geen kwaad over Judy," zei Connie nijdig.

„Judy doet alles om de band met jou te herstellen, het ligt niet aan haar dat het niet lukt. Ze heeft alles over voor jouw vriendschap."

„Nadat ze die eerst de grond in heeft getrapt."

Met een wanhopig gebaar hief Arnoud zijn handen omhoog. „Wanneer stopt dit nou eens? Wat moet Judy nog meer doen om jouw vriendschap terug te winnen? Je hebt het Jerry blijkbaar vergeven, waarom haar dan niet? Ooit moet hier toch een einde aan komen, Connie."

„Misschien als jullie Jerry opnieuw gaan accepteren als mijn partner en hem weer hartelijk welkom heten in de familie. Wellicht dat het dan ooit weer net als vroeger tussen ons vieren kan worden. De acceptatie moet namelijk van twee kanten komen," antwoordde Connie daarop. Terwijl ze het zei wist ze echter al dat dit ijdele hoop was. Er was te veel gebeurd en gezegd om de vertrouwelijke, hechte band tussen hen vieren te herstellen. Die gouden tijd lag voorgoed achter hen en zou nooit meer terugkomen. Het slippertje van Jerry en Judy zouden ze misschien nog wel achter zich kunnen laten, mits Judy niet zwanger geworden was. Door het kind zouden ze er echter altijd aan herinnerd worden. Stel je voor dat de baby sprekend op Jerry leek! Connie huiverde even. Daar moest ze echt niet aan denken. Het was zo al moeilijk genoeg allemaal.

De relatie tussen haar en Jerry was dan wel hersteld, maar zo soepel als vroeger liep het allemaal niet. Nu ze niet meer zoveel met zijn vieren waren, maar meer op elkaar waren aangewezen, ontdekte Connie dat er toch veel verschillen tussen hen bestonden. Als eerste natuurlijk het feit dat zij graag een gezin wilde en Jerry daar nog helemaal niet aan dacht.

„Waarom wil je dat eigenlijk zo graag?" vroeg hij op een avond nadat ze daar, voor de zoveelste keer, een hele discussie over hadden gevoerd.

Connie schokte met haar schouders. „Dat weet ik niet. Het is een gevoel en gevoelens kun je nu eenmaal niet uitleggen."

„Probeer het in ieder geval. Nu komen we steeds weer op hetzelfde uitgangspunt terug, zonder dat we een stap verder komen," stelde Jerry voor.

„Wil je hiermee zeggen dat je wel kinderen wilt krijgen als je weet wat mijn drijfveer is?" vroeg Connie op spottende toon.

„Dat zeg ik niet, maar een beetje begrip is nooit weg. Overigens werkt dat van beide kanten."

Connie reageerde niet op dat bedekte verwijt. „Ik denk dat er verschillende oorzaken aan mijn verlangens ten grondslag liggen," zei ze na enig nadenken. „Ten eerste het feit dat ons ouderlijk gezin zo abrupt uit elkaar viel. Het veilige gevoel dat ik vroeger had, heb ik daarna nooit meer gehad. De zekerheid dat je bij elkaar hoort en dat dat altijd zo blijft, zoiets. En ten tweede natuurlijk ...." Ze stokte. De jaloezie die ze voelde als ze Judy met haar groeiende buik zag, was geen onderwerp dat ze makkelijk besprak. Dat bleef een heet hangijzer tussen Jerry en haar. Hij ging ervan uit dat het verleden afgesloten was, zij kon daar nu eenmaal niet zo makkelijk overheen stappen. Het wantrouwen was nooit helemaal weg, bovendien knaagde de wetenschap aan haar dat Jerry de vader van het kind was, terwijl hij daar simpelweg niet bij stilstond. Arnoud en Judy kregen een kind, niet hij en Judy, had hij Connie meermalen verteld.

„Ten tweede wat?" drong hij aan.

„Nou ja, ik wil gewoon graag een baby," zei Connie afwerend. Ze draaide haar gezicht van hem af.

„Omdat Judy ook een baby krijgt," constateerde Jerry.

„Dat heb ik niet gezegd."

„Het is overduidelijk. Je bent jaloers op Judy omdat zij zwanger is en jij niet. Je vergeet daarbij dat Arnoud en Judy getrouwd zijn, dus in een heel andere fase zitten dan wij. Ze is ook een paar jaar ouder dan jij."

„Dat maakt haar niet automatisch een betere moeder. Dit staat los van leeftijd, Jerry. Ik denk gewoon dat het heel goed voor ons zou zijn als wij ook een kind krijgen."

„Waarom in hemelsnaam? Ik vind het prima zoals het nu gaat. Allebei onze eigen woonruimte en veel tijd die we samen doorbrengen. Ik hoef me nog niet zo nodig te binden, zeker niet aan een gezin. Een kind krijg je voor de rest van je leven, dat is een enorme beslissing."

„Zei de man die op het punt staat vader te worden," hoonde Connie.

Bruusk stond hij op. „Ik wilde dat je daar eens mee ophield. Ik word geen vader, hoe vaak moet ik je dat nog zeggen? Arnoud zal de vader van dit kind zijn. In wezen ben ik niets meer of minder dan een zaaddonor geweest."

„Was het maar zo makkelijk."

Jerry pakte Connies gezicht tussen zijn handen en dwong haar zo om hem aan te kijken. „Vertrouw jij me eigenlijk wel?" vroeg hij zacht. „Ik merk de laatste tijd vaker dat je je afstandelijk opstelt, je bent ook veel vinniger dan een paar maanden geleden. Kun je echt niet over het verleden heen komen?"

„Niet zo makkelijk als jullie drieën blijkbaar gelukt is," gaf Connie toe. Met een zucht leunde ze tegen hem aan. Ze wist zelf ook wel dat ze momenteel niet de meest ideale partner was. Ze hield van Jerry, waarom lukte het haar dan niet om er honderd procent voor te gaan? „Ik blijf er maar mee bezig, het laat me nooit los."

„Misschien gaat het beter als de baby eenmaal geboren is," veronderstelde Jerry, maar Connie betwijfelde dat ten zeerste. Waarschijnlijk zou het dan juist moeilijker worden, dacht ze zelf. Ze dwong zichzelf echter om niets van deze gedachten te laten merken. Als ze iets van hun relatie wilde maken, moest ze niet zo door blijven zeuren. Het viel echter niet mee om iets van hun vroegere geluk terug te vinden. Eigenlijk was het maar een slap aftreksel vergeleken bij een half jaar geleden. Met weemoed dacht ze terug aan die ene perfecte zomer. Een zomer vol geluk, blijdschap, liefde en vrolijkheid. Toen had ze gedacht dat het altijd zo zou blijven. Ze hadden zelfs plannen gehad om met zijn vieren in één huis te gaan wonen, herinnerde ze zich met pijn in haar hart. En moest je ze nu eens zien. Met heel veel moeite was het Judy gelukt om Arnoud zover te krijgen dat hij Jerry, als partner van zijn zus, in hun huis ontving, maar de mannen hadden amper een woord met elkaar gesproken. De hele avond was de sfeer om te snijden geweest en Connie en Jerry hadden hun bezoekje dan ook niet herhaald. In enkele maanden tijd waren ze vreemden voor elkaar geworden. Zelfs Arnoud en zij en dat deed nog het meeste pijn. Op hun bruiloft had ze geschitterd door afwezigheid en zoals het er nu naar uitzag, zou dat andersom ook het geval zijn als Jerry en zij gingen trouwen. Voor een broer en zus die eens zo hecht waren geweest dat buitenstaanders hun band zelfs als ziekelijk hadden omschreven, was dat een hard gelag.

De tijd verstreek en langzamerhand sleten de scherpe kantjes van het hele gebeuren af. Connie en Arnoud gingen min of meer weer normaal met elkaar om, al leek de hechte band voorgoed verbroken. Hun contact speelde zich dan ook voornamelijk in de lunchroom af en beperkte zich tot zakelijke gesprekken. Nog maar zelden kwamen ze bij elkaar over de vloer. Judy kwam regelmatig naar de lunchroom toe, zij bleef proberen de band met Connie weer goed te krijgen. Soms leek dat wonderwel te lukken, andere dagen keerde Connie zich van haar af. De bevalling begon te naderen, iets waar Connie als een berg tegenop zag. Met Jerry wilde en kon ze daar niet over praten, dat lag te gevoelig. Hij begreep niet dat ze het er zo moeilijk mee bleef houden. Wat hem betrof was er geen vuiltje aan de lucht. Arnoud en Judy waren gelukkig samen en verheugden zich op de geboorte van hun kind, hij en Connie waren weer bij elkaar. Wat wilde ze nog meer? Dat haar hart huilde om alles wat ze verloren had, snapte hij niet. Nieuwe vrienden waren zo gemaakt, oordeelde hij luchtig. Connie betrapte zichzelf er wel eens op dat ze met Jerry soms net zo eenzaam was als zonder Jerry. Hoewel ze het leuk hadden samen, had ze af en toe het gevoel dat hun relatie zich niet echt verdiepte. Ze kon in ieder geval niet met alles bij hem terecht, maar dat kwam voornamelijk omdat hij er te veel bij betrokken was. Zij kon Jerry en de komende baby niet los van elkaar zien, zoals hij dat wel kon.

De zomer was dat jaar nat en kil, iets waar Connie diep in haar hart blij om was, al mopperde het hele land op het slechte weer. Mooi weer zou de herinnering aan het jaar daarvoor alleen maar nog schrijnender maken. Die ene, gouden zomer ... Het zag ernaar uit dat ze daar de rest van haar leven op moest blijven teren, dacht ze bitter terwijl ze de counter bijvulde met vers gebak. Het was vandaag rustig in de lunchroom. De vakanties waren begonnen en dat was goed te merken aan het aantal klanten. Vanuit haar ooghoeken zag ze Judy binnen komen lopen en inwendig zuchtte ze even. Ook dat nog. Judy leek nog steeds niet te begrijpen dat ze niet altijd zin had in die oeverloze kletspraatjes. Ze kon uren uitweiden over koetjes en kalfjes, zoals goede vriendinnen dat onderling deden. Maar ze waren geen goede vriendinnen meer. Ze waren schoonzussen, wat Connie betrof hield de band daarmee op. Ze bleef zich stug afzetten tegen Judy's goedbedoelde pogingen hun vriendschap nieuw leven in te blazen.

Met de lege ovenplaat in haar handen liep ze naar achteren.

„Judy is er," berichtte ze Arnoud.

„Ze verveelt zich sinds ze met zwangerschapsverlof is," wist hij.

„Ach, wil jij even bij haar gaan zitten? Het is nu toch rustig. Ik ben over een klein halfuurtje klaar hier, zeg dat maar tegen haar."

Connie kon niet veel anders doen dan bij Judy aan het tafeltje aanschuiven. Ze wist dat er onder het personeel de nodige roddels en speculaties de ronde reden over Arnoud, Judy, Jerry en haarzelf en wilde die praatjes zo min mogelijk voeden, dus deed ze altijd zo normaal mogelijk. Hun privéomstandigheden gingen nu eenmaal niemand iets aan.

„Hoe voel je je?" vroeg ze met een onderzoekende blik op haar schoonzus. Ze zag er bleek en afgetrokken uit. Ondanks dat de temperatuur buiten maar zo'n veertien graden aangaf, parelden er zweetdruppels op haar voorhoofd.

„Belabberd," zuchtte Judy dan ook. „Ik heb hoofdpijn, ik ben moe en ik heb buikpijn. Van mij mag de baby komen, want ik ben het meer dan zat."

„Nog twee weken, het schiet al op. Kun je niet beter lekker in bed gaan liggen dan door het centrum heen te sjouwen?"

„Dat doe ik de hele dag al, daar word ik gek van. Veel anders kan ik niet meer met het gewicht dat ik meetors. Dat wandelingetje hierheen put me al helemaal uit."

„Je bent inderdaad behoorlijk dik. Misschien wordt het wel een tweeling," gniffelde Connie. In dat geval nam zij er eentje, dacht ze strijdlustig. Het verlangen naar een baby van zichzelf sluimerde nog steeds en voor haar gevoel had zij net zoveel recht op dit kind als Judy zelf. Tenslotte was haar vriend de vader, al leek iedereen dat langzamerhand vergeten te zijn. Zij dacht er echter voortdurend aan. Judy kreeg het kind dat Jerry haar onthield. Die gedachte had zich als onkruid in haar hersens genesteld en was niet uit te roeien.

Pratend over het aanhoudende slechte weer dronken ze de thee die Kelly bij hun tafel kwam brengen. Judy wilde verder niets bij de thee omdat ze misselijk was. Af en toe zag Connie haar gezicht vertrekken, alsof ze pijn had.

„Volgens mij heb jij weeën," zei ze op een gegeven moment.

„Ik heb krampen," gaf Judy toe. „Maar echte weeën zullen het wel niet zijn. Het duurt nog twee weken voor ik uitgerekend ben."

„Dat zegt niets, dat zou je moeten weten. Als ik jou was zou ik maar even langs de verloskundige gaan."

„Ik ben in behandeling bij een gynaecoloog vanwege zwangerschapssuiker," zei Judy.

Zoiets had Arnoud inderdaad gezegd, herinnerde Connie zich. Ze luisterde nooit zo aandachtig als hij de zwangerschapsperikelen van Judy breeduit uitmat, in tegenstelling tot Kelly en Mariska, die alles wilden weten en intens meeleefden.

„Bel dan op zijn minst even het ziekenhuis," adviseerde ze.

„Zo'n vaart zal het niet lopen. Ik heb ..." Op dat moment stokte Judy. Haar ogen werden groot en ze maakte een geschrokken gebaar met haar hand. „O Con, ik geloof dat mijn vliezen gebroken zijn," stamelde ze kleintjes. „Alles is nat. Het spijt me." Ze keek er vreselijk benauwd bij.

„Ik roep Arnoud wel," zei Kelly, die net langs hun tafeltje liep en Judy gehoord had.

Binnen een minuut kwam Arnoud geagiteerd aanlopen. „Heb je weeën? Komt de baby?" vroeg hij gespannen.

„Ik geloof het wel, ja," antwoordde Judy. Weer vertrok haar gezicht en met beide handen greep ze haar buik vast. Ze kreunde.

„Dit was een hele heftige," hijgde ze even later.

„Je moet zo snel mogelijk naar het ziekenhuis," zei Connie beslist terwijl ze Judy overeind hielp uit haar stoel.

„Ja, ja, natuurlijk." Arnoud greep naar zijn hoofd. „Het ziekenhuis. Hoe komen we daar?"

„Met de auto natuurlijk. Laat maar, ik rij wel." Connie duwde Arnoud naar de garderobe om hun jassen te pakken. Aan hem had ze nu helemaal niets, begreep ze. Het was aan haar om Judy veilig in het ziekenhuis te krijgen, of ze dat nu wilde of niet.

Met hulp van Kelly zette ze Judy voorin de wagen, Arnoud volgde nerveus en nog steeds zonder jas. Hij leek volkomen de weg kwijt te zijn. Met een tussenstop bij de flat, om Judy's spullen te pakken, reed Connie zo snel ze kon naar het ziekenhuis. Judy had het inmiddels behoorlijk zwaar, want de krampen volgden elkaar in razend tempo op. Kortaf beval Connie Arnoud om het ziekenhuis te bellen, zodat ze wisten dat ze eraan kwamen. Dankzij dat telefoontje stond er al een verpleegster met een rolstoel klaar zodra ze de parkeerplaats opreed.

„Connie." Arnoud greep haar vast voordat ze de kans kreeg om weer weg te rijden. De verpleegster spoedde zich inmiddels met Judy in de rolstoel naar binnen. „Wil je er alsjeblieft bij blijven? Ik vrees dat Judy niet veel aan me heeft, ik vind het doodeng. Alsjeblieft?"

Hij keek haar smekend aan. Connie zag de angst in zijn ogen en capituleerde. Voor het eerst in al die maanden zette ze haar eigen gevoelens opzij ter wille van Arnoud.

„Ga maar snel achter haar aan. Ik parkeer de auto en kom dan naar jullie toe," zei ze vriendelijk.

„Dank je wel." Hij smoorde haar in een stevige omhelzing. „Ik ben blij dat ik op je kan rekenen. Ik weet hoe moeilijk dit voor je moet zijn, maar ik heb je nu nodig. Ik ben nog nooit eerder zo bang geweest als op dit moment."

Connie keek in zijn angstige ogen en glimlachte. „Het komt wel

goed," sprak ze bemoedigend. „Samen slepen we Judy er wel doorheen en voor je het weet heb je een prachtig kind in je armen.
Wedden?"

„Ik hoop het. Ik zou me geen raad weten zonder Judy," zei Arnoud
wanhopig.

„Daar is toch helemaal geen sprake van. Iedere dag bevallen er
duizenden vrouwen zonder complicaties. Ga nu maar snel, anders
wordt de baby nog zonder jou geboren," spoorde Connie hem aan.

„Dus jij komt ook?" vroeg hij nog een keer voor de zekerheid.

„Absoluut," beloofde Connie. Ze moest hem zowat uit de auto
duwen voor ze een parkeerplek kon zoeken. Heel even bleef ze
met haar hoofd op het stuur geleund zitten nadat ze de motor uit-
gezet had. Tegen wil en dank moest ze dus getuige zijn van de
geboorte van Jerry's kind ... Ze wist wel wat ze liever deed, maar ze
had het Arnoud niet kunnen weigeren. Op het moment dat hij
zich om hulp tot haar wendde, had ze weer even gevoeld dat ze,
ondanks alles, toch bij elkaar hoorden.

HOOFDSTUK 18

Hoewel de weeën elkaar in snel tempo opvolgden, duurde het toch een paar uur voor Judy zover was dat ze toestemming kreeg om te persen. Uren die Connie zonder na te denken doorbracht. Ze steunde Judy bij het verwerken van de pijnlijke krampen, bette haar bezwete gezicht regelmatig met een koel washandje en sprak Arnoud, die er wezenloos bij zat en plotseling twee linkerhanden bleek te bezitten, bemoedigend toe. Alles wat er gebeurd was, was weggevallen voor dat moment. Het enige wat nu belangrijk was, was Judy zo goed mogelijk door de bevalling heen te slepen en een gezond kind op de wereld te zetten.

Tegen middernacht was het eindelijk zover.

„Nog één keer goed persen, dan kun je je kindje vasthouden," zei de gynaecoloog. „Het hoofdje is er bijna, zet door!"

Op het moment dat de baby door het geboortekanaal naar buiten kwam, pakte Judy Connies handen vast. „Connie, het spijt me," hijgde ze. „Echt, het spijt me zo ontzettend. Ik heb je nooit willen kwetsen. Behalve mijn vriendin beschouwde ik je ook al als een zus."

„Het geeft niet." Connie kneep in Judy's handen en knikte haar toe. Een warm gevoel stroomde door haar heen. Even waren ze weer de hartsvriendinnen van een klein jaar geleden. „Het doet er niet meer toe. Richt je maar op je kindje, dat is nu veel belangrijker."

Een ijl huiltje vulde de verloskamer en de gezichten van Judy, Arnoud en Connie bogen zich tegelijkertijd dezelfde richting uit. „Een jongen," zei de gynaecoloog. Met een trots gebaar hield hij de baby omhoog. „Een kerngezonde knaap, zo te zien."

„Een jongetje," huilde Judy. Verlangend strekte ze haar armen uit en de baby werd meteen bij haar gelegd. Aandachtig bogen zij en Arnoud zich over hem heen. Connie bekeek dit tafereel met een glimlach op haar gezicht. De bevalling had een enorme indruk op haar gemaakt. Het was voor het eerst dat ze zoiets van dichtbij had meegemaakt en ze wist dat ze het nooit meer zou vergeten. Al het andere viel daar daarbij in het niet.

„Hoe gaan jullie hem noemen?" vroeg de gynaecoloog.

„Julian," antwoordden Arnoud en Judy tegelijkertijd.

„Julian Verschuur," voegde Arnoud daar nog trots aan toe.

Julian ... Er verkilde iets in Connies hart. Judy en Julian, weer een JJ-combinatie dus. Judy Jacobs, Judy en Jerry, en nu Judy en Julian. Het bracht alle akelige herinneringen in één klap bij haar terug. De uren van intensieve samenwerking die ze net achter de rug hadden, hadden alle gebeurtenissen doen vervagen, nu stond alles echter weer levensgroot op haar netvlies. Die ene avond waarop de waarheid boven tafel kwam, het verraad van Judy, de mededeling van Arnoud dat hij ondanks alles met Judy ging trouwen en de vader zou worden van Jerry's kind, de pijn die ze gevoeld had op hun trouwdag, alles.

De gynaecoloog hield een schaar omhoog en verzocht Arnoud de navelstreng die moeder en kind verbonden hield, door te knippen.

„Die eer laat ik graag aan mijn zus over," zei Arnoud met een glimlach. „Dat komt haar toe, want zonder haar hadden we dit niet zo goed doorstaan."

Connie hield echter afwerend haar handen omhoog. „Nee, nee," zei ze terwijl ze opstond en een stap achteruit deed. „Dat kan ik niet. Ik moet ... Sorry ..." Voor iemand het besefte vluchtte ze als het ware de verloskamer uit. In de gang leunde ze met een zwaar bonkend hart tegen de muur. Ze had het gevoel of ze ieder moment flauw kon vallen.

„Connie, wat is er nu opeens?" Met één stap stond Arnoud naast haar, zijn sterke armen sloten zich om haar heen. „Ga nou niet weg. Je hoort hier bij."

Wild schudde ze haar hoofd. „Niet waar. Ik kan dit niet."

„Wel." Hij pakte haar bij haar schouders en keek haar dringend aan. „De bevalling is dankzij jou zo vlot verlopen. Ik had me geen raad geweten als jij er niet bij was geweest. Je bent sterker dan je denkt, Con. Kom alsjeblieft weer mee naar binnen en deel dit geluk met ons. Het is nu toch wel bewezen dat wij met zijn drieën een eenheid vormen."

Weer schudde ze haar hoofd. „Ik kan het niet," herhaalde ze toonloos. „Laat me los, ik moet hier weg."

Langzaam deed Arnoud een stap naar achteren, zijn ogen stonden dof. „Ik dacht dat deze afgelopen uren het keerpunt waren, maar je kunt het dus nog steeds niet loslaten," constateerde hij bitter. „Wat moet er nog gebeuren voor je inziet dat je jezelf doodongelukkig maakt op deze manier en dat je anderen daarin meetrekt? Judy houdt van je alsof je haar eigen zus bent. Het was een eenmalig incident, Connie. Blijf je het haar echt de rest van je leven aanrekenen?"

„Ik weet het niet, echt niet. Tijdens de bevalling leek het allemaal niet meer belangrijk, maar nu ... De baby ..." Tranen liepen over haar wangen.

„De baby is het enige goede dat uit deze hele geschiedenis voort is gekomen," zei Arnoud hard. „Julian is mijn zoon, vergeet dat nooit. Iedere man kan vader worden, maar het gaat erom een vader te zijn, dat is heel iets anders. Jerry is dat laatste absoluut niet en hij heeft ook geen enkele intentie om het te worden."

„Ik moet naar huis," zei Connie zonder op zijn laatste opmerking in te gaan. Ze keek hem niet aan. „Het spijt me."

Vlug liep ze weg. Haar voetstappen klonken hard en hol door de stille, schemerige gang van het ziekenhuis. Eenmaal buiten drong het pas tot haar door dat het midden in de nacht was en dat ze al die tijd niet aan Jerry had gedacht. Ze zouden die avond eigenlijk naar de verjaardag van zijn nichtje gaan, herinnerde ze zich. Haar mobiele telefoon, die ze tijdens het verblijf in het ziekenhuis uit had moeten zetten, bevatte diverse berichten van hem.

'Ik begrijp niet waar je bent of waarom je me niet belt, maar ik blijf in jouw huis wachten tot je terugkomt,' luidde de laatste.

Bij haar huis aangekomen zag ze dat inderdaad alle lampen op haar etage nog branden. Jerry lag op de bank naar de tv te staren, maar hij sprong onmiddellijk op bij haar binnenkomst.

„Connie! Waar was je nou? Wat is er aan de hand? Ik was doodongerust. Waarom heb je me niet even gebeld?"

„Daar heb ik niet aan gedacht," antwoordde Connie eerlijk. „Judy is vanavond bevallen, ik ben erbij geweest."

„Jij?" Met grote ogen keek hij haar aan. „Wat had jij daar nou te zoeken?"

„Ze was in de lunchroom toen de bevalling begon. Arnoud raakte helemaal in paniek, zodat ik ze naar het ziekenhuis heb gebracht. Ze wilden allebei graag dat ik bleef." Connie ging zitten, met haar jas nog aan. „Je vraagt niet eens hoe het is gegaan en of je een zoon of een dochter hebt gekregen."

„Of Arnoud en Judy een zoon of een dochter hebben gekregen," verbeterde hij haar kalm.

„Het is een jongetje, Julian," vertelde ze verder, zonder acht te slaan op zijn woorden.

„Dat is fijn voor ze. Wil je iets drinken?"

„Nee." Ineens keek Connie hem recht aan. „Ik wil een kind."

„Connie, doe normaal."

„Ik meen het, ik wil een kind. Van jou. Eigenlijk vind ik dat je me dat wel verplicht bent."

„Je kletst uit je nek," zei Jerry, die ongeduldig begon te worden. „Hoor je nou zelf eigenlijk wel wat je zegt? Het slaat totaal nergens op."

„Na alles waar ik doorheen ben gegaan mag je best wat meer rekening met mijn wensen houden."

„Ik heb alle begrip voor je," zei Jerry langzaam, in een poging tot haar door te dringen. „Maar ik ga niet uit een soort boetedoening een baby bij je verwekken, dat gaat me echt te ver. Je bent jezelf niet op dit moment, ik denk dat je beter naar bed kunt gaan om een paar uur lekker te slapen."

„Behandel me niet als een klein kind!" viel Connie uit.

„Je gedraagt je als een kind. Een verwend kind dat koste wat koste haar zin door wil drijven," zei Jerry nu nijdig. „Ja, ik ben fout geweest en ja, ik voel me schuldig, maar ik pik niet alles van je vanwege dat schuldgevoel. Doe alsjeblieft niet zo moeilijk."

„Dat zeg je altijd als iets je niet bevalt. Vooral niet nadenken, vooral niet ergens dieper op ingaan en vooral niet moeilijk doen. Je lijfspreuk," spotte Connie. „Dat ben ik goed zat, weet je dat? Ik bén moeilijk en als dat je niet bevalt, dan donder je maar op!"

„Graag!" schreeuwde Jerry terug. „Dat gezeur van jou begint me namelijk danig de keel uit te hangen. Nooit kan ik iets goed doen bij je en iedere keer grijp je weer terug naar die ene fout. Een fout waar ik me niet eens van bewust was, maar dat schijnt niet mee te tellen voor jou."

„Wat doe je hier dan nog?" vroeg Connie kil. Ze stond op en hief haar hoofd fier omhoog. „Als ik zo'n slechte vriendin voor je ben geweest als jij nu beweert, snap ik niet dat je het nog zo lang met me uitgehouden hebt."

Kwaad stonden ze tegenover elkaar, allebei door het dolle heen. Het was Jerry die capituleerde.

„Kunnen we hier alsjeblieft rustig en op een volwassen manier over praten in plaats van elkaar allemaal zinloze verwijten voor de voeten te gooien?" vroeg hij.

„Valt er nog iets te praten dan?" Triest ging Connie weer zitten, haar felle houding was verdwenen. Ze voelde zich alleen nog maar intens verdrietig. „Dit werkt niet, Jerry. We passen niet bij elkaar. We verlangen allebei andere dingen van het leven."

„De verschillen zijn groot, maar misschien niet onoverkomelijk. Ik hou van je, Connie."

„Dat lost niet alles op."

„Voor onze breuk ging het wel goed tussen ons," zei Jerry.

Connie knikte nadenkend. „Dat is iets wat mij ook bezighoudt. Onze relatie heeft echt twee kernvlakken. Voor en na de breuk.

Alleen noemde ik het in gedachten niet 'de breuk', maar jouw overspel en daarmee gaf ik in principe jou de schuld van alle problemen. Nu besef ik dat deze gedachtengang niet helemaal eerlijk was. Voor die ene vakantie, met alle gevolgen van dien, was onze relatie veel zorgelozer en oppervlakkiger. Er speelden geen problemen en geen moeilijke omstandigheden, zoals we die nu wel hebben. Bovendien brachten we maar heel weinig tijd met zijn tweeën door, want we waren altijd met zijn vieren. De verschillen tussen ons vielen daardoor niet zo op. Het was altijd leuk en gezellig, dus er was geen enkele reden om iets te veranderen. Tegenwoordig liggen de zaken anders. We zijn nu bijna altijd met zijn tweeën en het gevolg is dat we regelmatig behoorlijke ruzies hebben en we ons aan elkaar ergeren. Dat is een teken aan de wand, Jerry. We zijn simpelweg niet geschikt voor elkaar, dat blijkt steeds weer."

„Je wilt er dus een eind aan maken?" constateerde Jerry nadat hij stil naar haar tirade had geluisterd.

„Ja." Ineens voelde ze zich heel zeker van haar zaak. Ze was verliefd op hem geweest, maar die verliefdheid was niet uitgegroeid tot een hecht houden van. Niet zoals dat bij Arnoud en Judy het geval was, die allebei heel zeker wisten dat ze niet zonder elkaar konden. De diepe liefde die er tussen hen bestond, maakte dat ze alle problemen het hoofd konden bieden, iets wat hun nooit zou lukken, wist Connie. De gevolgen van het slippertje van Judy en Jerry hadden Arnoud en Judy nog dichter bij elkaar gebracht terwijl het haar en Jerry alleen maar verder uit elkaar gedreven had. Ze zag het nu heel duidelijk.

„Dit was het dus. Ik zal je missen," zei Jerry schor terwijl hij opstond.

„Het zal best vreemd zijn," gaf Connie peinzend toe. „Maar we kunnen er beter nu een eind aan maken dan eindeloos door blijven sukkelen tot we elkaar gaan haten."

„Je hebt me die ene fout nooit echt vergeven, hè?"

Even aarzelde ze met antwoord geven, toen schudde ze haar hoofd. „Nee," zei ze eerlijk. „Met mijn verstand weet ik dat je dronken was en het niet bewust hebt gedaan, maar mijn hart spreekt een andere taal. Sinds wij weer samen zijn, ben ik voortdurend op mijn hoede voor een herhaling, ik kan het niet achter me laten. Zeker niet gezien de gevolgen." Ze dacht aan de kleine, volmaakte baby die ze die avond geboren had zien worden. Arnoud kon nog zo stellig beweren dat het zijn kind was, voor haar lag het toch anders. De kleine Julian was een levende herinnering aan alles wat er gebeurd was, dat kon ze niet zomaar uitvlakken.

„Zonder oprecht vertrouwen kan geen enkele relatie uitgroeien," zei Jerry. Hij deed een stap in haar richting en zoende haar voorzichtig op haar wang. „Tot ziens, Connie. Ik hoop dat je nog eens heel gelukkig wordt met een man die helemaal voor je gaat."

„Ik wens jou hetzelfde toe." Ze glimlachte door haar tranen heen, die, ondanks het besef dat ze de juiste beslissing nam, toch in haar ogen sprongen.

Nog lang nadat hij vertrokken was, bleef ze op de bank zitten. Vreemd genoeg voelde ze zich niet echt verdrietig, alleen een beetje leeg. Langzaam drong het besef tot haar door dat het voorgoed voorbij was tussen Jerry en haar. Voortaan was ze weer alleen. Het was geen aanlokkelijk toekomstbeeld, maar de wetenschap dat ze nu ook verlost was van alle irritaties, verwijten, het wantrouwen en de angst, maakte veel, zo niet alles, goed. Beter geen relatie dan een relatie waarin je niet gelukkig kon zijn, concludeerde ze in stilte voor zichzelf. Langzaam maar zeker kwam er een gevoel van bevrijding over haar. Alles lag weer voor haar open, ze kon een nieuwe start maken en had weer alle mogelijkheden.

Terwijl de eerste zonnestralen van de nieuwe dag voorzichtig door haar ramen kierden, trok Connie de deur van haar huis achter zich dicht. Ze moest iemand vertellen wat haar bezighield en wat er gebeurd was en daarom koerste ze naar het graf van haar ouders, dat voor haar nog steeds de beste plek was om haar hart te luchten. Door de gesprekken met haar ouders, al waren ze dan niet meer lijfelijk aanwezig, lukte het haar meestal om haar verwarde gedachten op een rijtje te krijgen en de zaken te relativeren. Het werd een lang bezoek dit keer. Alle gebeurtenissen van het laatste jaar, te beginnen bij de hernieuwde ontmoeting met haar jeugdliefde Jerry, vertelde ze aan de twee koude stenen, die voor haar symbool stonden voor haar ouders die ze te jong en te abrupt had moeten missen. Tijdens het praten ging ze zich ook steeds meer realiseren wat haar drijfveren waren geweest om een relatie met Jerry te beginnen. Natuurlijk, ze was verliefd geworden op die knappe, charmante man die in haar jeugd ook al haar hart had beroerd, maar dat was niet de enige reden geweest. Ze had vooral compensatie voor haar eenzaamheid gezocht, begreep ze nu. Ze hoopte met Jerry een eigen gezin te stichten, om zo het plotselinge verlies van hun ouderlijk huis en hun warme gezin minder schrijnend te maken. Bovendien had Arnoud net Judy ontmoet en wat zij samen hadden, wilde Connie ook. Een partner, iemand die er exclusief voor haar was, iemand om haar leven mee te delen. Jerry was als een geschenk uit de hemel gekomen, precies op het goede moment. Ook hun lijmpoging was voortgekomen uit eenzaamheid.

Als Arnoud en Judy het niet weer goed hadden gemaakt en niet waren getrouwd, had ze er waarschijnlijk niet over gepiekerd om hem terug te nemen, maar hun trouwdag was zo moeilijk voor haar geweest dat ze toen alleen maar dolblij was met zijn komst. Jerry was echter niet de juiste man voor haar, besefte Connie nu, ondanks haar verliefdheid in het begin. Het was een prettig gevoel dat ze dat nu heel zeker wist. Ze hoefde zich nooit meer af te vragen of ze er goed aan had gedaan om hun relatie te beëindigen. Er zou heus wel weer iemand anders komen, iemand die wel bij haar paste. Een man met wie ze een relatie op kon bouwen zoals Arnoud en Judy die hadden, die onvoorwaardelijk voor elkaar gekozen hadden, simpelweg omdat hun liefde zo groot was dat ze niet anders konden.

„Mannen komen en gaan, je familie blijft altijd." Ze hoorde het haar moeder bijna hardop zeggen. Ze had die zin zo vaak gezegd als Arnoud vroeger weer eens haar nieuwste vriendje afkraakte en zij daar woedend op reageerde.

„Wat mij betreft zie ik Arnoud mijn hele leven niet meer, ik zal er geen traan om laten," had ze ooit eens furieus uitgeroepen na de zoveelste ruzie die ze hadden gehad. Ze wist nu dat dit niet waar was. Zonder Arnoud was haar leven niet compleet. Behalve dat ze verbonden waren door hun bloedband, waren ze ook hechte vrienden én zakenpartners. Wat er ook in haar leven nog stond te gebeuren, Arnoud zou er altijd zijn. Gelukkig wel. Arnoud en Judy.

Met een glimlach om haar lippen stond Connie na enige tijd moeizaam op uit haar gehurkte houding. Ze wist wat haar te doen stond.

„U mag naar huis. Alle uitslagen zijn uitstekend en er is geen enkele reden om u langer hier te houden," zei de gynaecoloog.

Verrast keek Judy op. „Echt waar? Fantastisch. Hoor je dat, Arnoud?"

Arnoud, die met Julian in zijn armen naast haar bed zat, keek lachend op. „Ik ben niet doof," zei hij met een knipoog naar de gynaecoloog. Behoedzaam, uit angst de baby te laten vallen, stond hij op om de arts de hand te schudden. „Ik mag mijn vrouw en kind nu meteen meenemen?" vroeg hij nog voor de zekerheid.

„Absoluut. Volgende week wil ik u terugzien voor een controle, dan gaan we kijken of we de medicatie af kunnen bouwen," knikte de gynaecoloog. Met een korte groet verliet hij de ziekenkamer om zich naar een volgende patiënt te begeven.

Judy keek haar echtgenoot stralend aan. „Heerlijk. Ik had erop gerekend dat ik nog een paar dagen moest blijven in verband met die suiker, maar ik voel me uitstekend. Veel beter dan de laatste weken het geval is geweest."

„Hou jij Julian even vast, dan pak ik de tas in."

Snel verzamelde Arnoud alle spullen van Judy in de grote weekendtas en nog geen drie kwartier na de mededeling van de gynaecoloog begaven ze zich naar de lift, na afscheid genomen te hebben van het verplegend personeel. Judy droeg Julian in haar armen, Arnoud had in een beschermend gebaar zijn arm om haar schouder heen gelegd.

„Wat jammer dat Connie hier nu niet bij is," zei Judy zacht. „Ik dacht gisteravond echt dat ze over die barrière heen was gestapt. Ze was zo lief en zorgzaam tijdens de bevalling, zonder haar had ik me er niet zo goed doorheen geslagen, dat weet ik zeker."

Er gleed een schaduw over Arnouds gezicht. Hij was volmaakt gelukkig met zijn vrouw en zijn zoon, op dat ene plekje in zijn hart na.

„Geef haar nog wat tijd," zei hij desondanks bemoedigend. „Ik heb gezien hoe moeilijk ze het heeft, des te waardevoller is het dat ze ons toch gesteund heeft tijdens die zware uren. Dat bewijst wel dat ze niet meer helemaal afwijzend tegenover ons staat, al doet ze af en toe graag van wel."

Door de drukbevolkte hal van de polikliniek liepen ze naar het parkeerterrein, waar het nog opvallend rustig was op dit tijdstip van de dag. Plotseling bleef Judy staan en ze staarde naar het figuurtje dat tussen de geparkeerde auto's door op hen toe kwam lopen. Was dat echt ...?

Haar hart begon zacht te zingen.

„Connie," fluisterde ze.

Ook Arnoud had haar nu gezien. Het was inderdaad Connie die recht op hen afstevende, maar een andere Connie dan degene die gisteravond zo verdrietig het ziekenhuis had verlaten. Deze Connie had een lach op haar gezicht en haar ogen staarden hen onbevangen aan, zonder de wanhoop die haar de laatste tijd zo kenmerkte. Vlak voor Arnoud en Judy bleef ze stilstaan.

„Ben ik nog welkom?" vroeg ze simpel.

Judy had geen verdere aansporing nodig. Zonder plichtplegingen duwde ze Arnoud de baby in zijn handen, toen sloeg ze haar armen om Connie heen. „Wat ben ik blij dat je er bent," zei ze uit de grond van haar hart.

„Dat zeg je zeker omdat je hulp nodig hebt thuis?" grijnsde Connie.

„Allicht. Er moet toch iemand koffiezetten voor de kraamvisite? Arnoud is een uitstekende kok, maar zijn koffie smaakt nergens naar," grinnikte Judy. Ze hadden onmiddellijk de oude, vertrouwde toon weer te pakken. Gearmd en giechelend als twee tieners, liepen ze naar de auto. Arnoud volgde met Julian in zijn armen. Blij keek hij naar de twee vrouwen voor hem. De twee belangrijkste vrouwen in zijn leven. Hij voelde zich ontzettend rijk met zijn zus, zijn vrouw en hun zoon. Zijn zoon.